DOSSIERS
DOCUMENTS

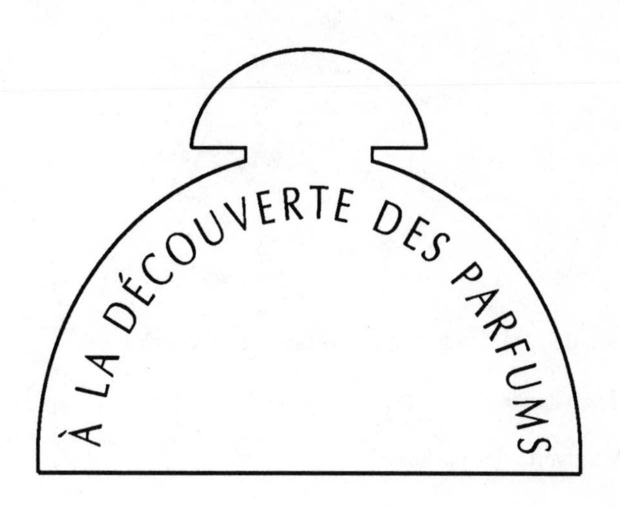
À LA DÉCOUVERTE DES PARFUMS

Données de catalogage avant publication (Canada)

D'Astous, Claude

À la découverte des parfums

(Dossiers documents).
Bibliogr. : p.

ISBN : 2-89037-443-2

1. Parfums. I. Titre. II. Collection : Dossiers documents (Montréal, Québec).

TP983.D37 1989 668'.542 C89-096002-X

DÉPÔT LÉGAL :
1er TRIMESTRE 1989
BIBLIOTHÈQUE NATIONALE DU QUÉBEC
ISBN : 2-89037-443-2

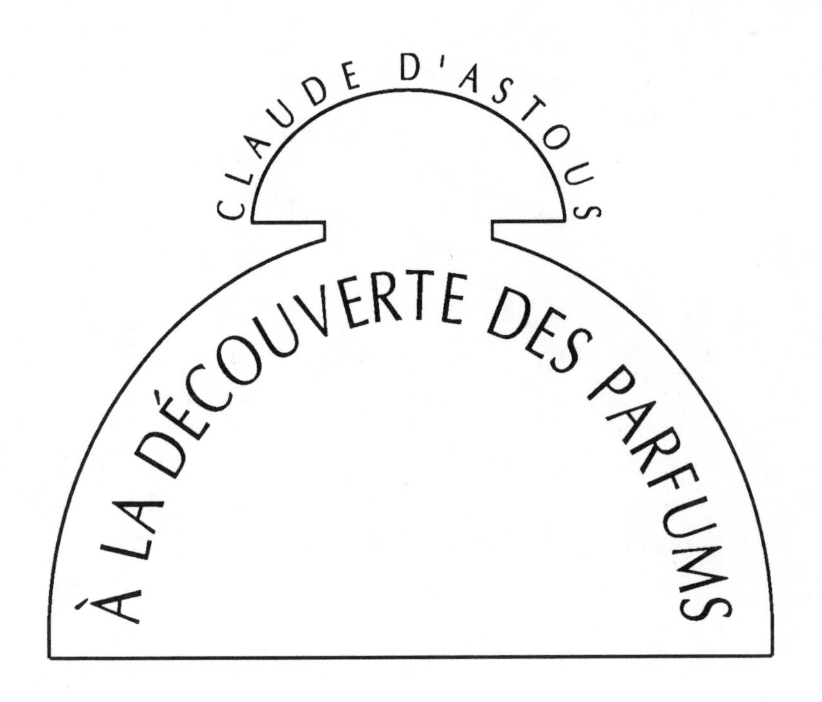

ÉDITIONS QUÉBEC/AMÉRIQUE

425, rue Saint-Jean-Baptiste, Montréal, Québec H2Y 2Z7 (514) 393-1450

DU MÊME AUTEUR

L'étrange monument du désert libyque, roman, Éditions Pierre Tisseyre, 1986, 287 p.

À tous ceux qui travaillent
à l'ombre des parfums,
tout particulièrement à
Lise Perreault et Gérard Cholette

TABLE DES MATIÈRES

Introduction
Parfum, poésie, mystère et pieux mensonges 13
Chapitre premier
L'odorat et les odeurs 25
Chapitre 2
Les parfums : leur histoire 43
Chapitre 3
Les odeurs mises en bouteille 63
Chapitre 4
Le marché des matières odoriférantes 69
Chapitre 5
Le parfumeur 77
Chapitre 6
De l'idée à la vente 85
Chapitre 7
La classification des parfums 105
Chapitre 8
Existe-t-il un art de se parfumer? 141
Annexes
Matières naturelles 167
Matières synthétiques 177
Bibliographie 183

Introduction

Parfum, poésie, mystère et pieux mensonges

Dans l'ardent foyer de ta chevelure, je respire
L'odeur du tabac mêlé à l'opium et au sucre ; dans
La nuit de ta chevelure, je vois resplendir l'infini
Azur tropical ; sur les rivages duvetés de ta
Chevelure, je m'enivre des odeurs combinée du
Goudron, du musc et de l'huile de coco.

Il est des parfums frais comme des chairs d'enfants,
Doux comme des hautbois, verts comme les prairies,
Et d'autres corrompus, riches et triomphants
Ayant l'expansion des choses infinies,
Comme l'ambre, le musc, le benjoin et l'encens,
Qui chantent les transports de l'esprit et des sens.

Baudelaire

Le parfum ne s'adresse pas à la raison mais aux émotions. Il ne faut pas s'étonner que les poètes aient chanté les parfums. Il ne faut pas non plus s'offusquer de ce que le discours des maisons commercialisant les parfums baigne dans la séduction, la poésie et le rêve. C'est là l'essence même des parfums.

Si mystère et poésie sont nécessaires au succès d'un parfum, ils ne suffisent pas à l'expliquer. Qu'est-ce qui fait le succès d'un parfum ? Difficile à préciser. Mais on sait que le succès est fragile et qu'il faut l'entretenir.

Chanel N° 5 aurait-il connu autant de succès si Gabrielle Chanel n'avait pas quitté sa retraite à l'âge de 71 ans pour réouvrir sa maison de couture en 1954 ? Chanel N° 5 aurait-il gardé son prestige si les parfums Chanel avaient été vendus à une multinationale américaine ? Songeons au triste destin des parfums Coty. Longtemps aux premières loges, les parfums Coty ont perdu leur auréole. En Amérique, ils occupent un créneau peu envié. Songeons aux parfums Caron, Balmain et Lanvin qui ont souffert de leur aventure américaine. Pensons à l'empire américain de Madame Helena Rubinstein [1] qui, une fois vendu à Colgate, se désagrégea. On ne vend pas du rêve comme on vend du dentifrice. Le prestige est difficile à bâtir et il est facile à détruire. Nombreux sont les commerçants qui ont tué la poule aux œufs d'or et qui, aujourd'hui, aimeraient la ressusciter.

Le rêve, la poésie, le mystère sont indissociables des parfums. Mais pour entretenir ce mystère, on flirte parfois avec le mensonge.

Pieux mensonges

Pourquoi un parfum est-il si dispendieux ? On insiste souvent sur le prix élevé de l'ambre et de l'absolue de jasmin. On explique qu'il faut trois millions de fleurs cueillies à la main dès l'aurore pour produire un seul kilo d'absolue de jasmin, que l'ambre naturel est rarissime, que le musc naturel est hors de prix. Ce qu'on dit est vrai, mais ces substances, lorsqu'elles sont présentes dans les parfums, le sont souvent sous forme de traces. Le créateur du « jus » [2] se voit contraint par l'industrie

1. Paul-Loup Sulitzer s'est inspiré de la vie de Helena Rubinstein pour écrire Hannah.
2. On désigne ainsi le contenu du flacon.

d'utiliser des matières odoriférantes peu dispendieuses. Le « jus » entre pour bien peu dans le coût d'un parfum. Souvent, il vaut moins de 1 % du prix de vente.

On prétend aussi que chaque bouteille est faite à la main et que la sélection est rigoureuse. On raconte que les bouteilles sont remplies une à une selon un coûteux procédé artisanal. Ces explications décrivent une réalité dépassée par la technologie moderne.

La vérité

Pourquoi les parfums de prestige sont-ils si coûteux ? Parce que leur prix définit leur prestige et vice versa. Les parfums de prestige sont coûteux parce que la clientèle est prête à payer le prix. Giorgio et Oscar de la Renta ont percé sur le marché des parfums de prestige aux États-Unis en établissant des prix exorbitants pour leurs extraits. Le prix d'un parfum n'est pas le gage de sa qualité. Il indique le marché visé.

Les profits éventuels étant alléchants, la concurrence est vive et elle gruge les profits. Détaillants, distributeurs et gouvernements se servent allègrement au râtelier des parfums. Pour le fabricant, qui prend tous les risques, le parfum n'est que rarement le Pérou ; sur dix parfums lancés, un seul survivra plus de cinq ans. Recherche, publicité, marketing, tout cela coûte cher. Alors que des compagnies prospèrent, d'autres arrivent à peine à faire leurs frais. Celles-là ferment boutique ou sont achetées par un concurrent plus heureux.

Œuvre d'art ou bien de consommation ?

Le parfum de prestige promet l'exclusif au plus grand nombre. Il vend du rêve, de l'émotion, de l'élégance. Il vend l'impalpable et il le vend contre monnaie sonnante et trébuchante.

Œuvre d'art

Le parfum est aux odeurs ce que la musique est aux sons. Le parfum est une œuvre d'art qui touche nos émotions. On a beau tout savoir sur lui, le voilà qui éveille notre sensibilité et nous fait basculer là où la raison n'a plus droit de cité. Le parfum est l'aboutissement d'une recherche artistique subtile. Il a ses artistes, ses tendances et ses écoles de pensée.

Ainsi, la tendance actuelle des parfums violents est sévèrement critiquée par de nombreux parfumeurs.

> [...] *une foule de produits musqués de prix attrayants, d'une puissance et d'une ténacité incroyables, ont envahi le marché. Il a suffi qu'un ou deux parfumeurs en abusent pour qu'une escalade folle s'engage. Celle-ci a malheureusement porté aussi sur la concentration des parfums. Les deux facteurs combinés ont conduit à des choses absurdes, à des mélanges (on ne peut plus appeler ça « parfums ») violents, entêtants, parfois suffocants, que les snobs s'arrachent un moment, mais que les gens de goût, qui loin d'être une minorité pourraient constituer une clientèle stable et fidèle, repoussent en renonçant à se parfumer*[3].

Bien de consommation

Mais ces « mélanges violents, entêtants, parfois suffocants » se vendent bien. Le parfum est un art mais il est aussi, certains diront surtout, un bien de consommation. La parfumerie vit un paradoxe : art ou « business » ? « C'est un art ! » affirment les hommes d'affaires afin de mousser les ventes. « C'est trop souvent un "business" ! » protestent les parfumeurs afin de protéger leur art.

---

3. ROUDNITSKA, Edmond. « Curriculum vitae », dans *Parfums, cosmétiques, arômes,* Paris, n° 78, décembre 1987, p. 68.

Vers l'éducation de la clientèle

La clientèle cherche des sources d'information et on lui répond par des clichés et des vieux mythes. Pourtant la vérité est loin d'être déshonorante et c'est d'elle qu'il sera question dans ce livre.

Ce livre est un ouvrage d'information. Il met de côté le rêve, la poésie pour faire un tableau réaliste des parfums. Nous nous pencherons tour à tour sur l'odorat, l'histoire, les matières premières, le parfumeur, l'industrie, la publicité et le marketing, l'art de se parfumer et les classifications des parfums.

Vous verrez que, même démystifié, le parfum demeure fascinant : la vérité qu'il véhicule dépasse souvent le rêve.

Avant d'aller plus loin, précisons certaines notions.

La vie d'un parfum

Un parfum contient des matières odoriférantes qui se dégagent dans l'air. Ces matières possèdent des volatilités différentes. Certaines s'envolent rapidement, d'autres, lentement. On percevra une odeur différente selon que l'on humera le parfum dès son application ou une heure plus tard. Le parfum n'offre pas à notre odorat une seule et unique note qui n'en finit pas de durer. Le parfum est une véritable symphonie d'odeurs évoluant dans le temps.

Le parfum s'exprime, telle une pièce, en trois actes. Premièrement, *la tête* : les notes les plus volatiles (citron, orange, romarin, angélique, bergamote, galbanum, etc.) dominent. C'est la tête que vous sentez au déboucher de la bouteille. Une fois appliqué sur une mouillette [4] ou sur la peau, le parfum évoluera rapidement. Après trois à cinq minutes, le départ hâtif

4. Sorte de papier buvard long et mince dont se servent les parfumeurs pour apprécier les parfums. L'extrémité de la mouillette est trempée dans le parfum puis portée au nez.

des notes de tête permettra aux notes moins volatiles du cœur de s'exprimer. Les notes de *cœur (ou bouquet)* se composent surtout d'odeurs de fleurs (jasmin, rose, œillet, lilas, muguet, ylang-ylang, iris). La dominance des notes de cœur peut s'étendre sur plusieurs heures. Tout dépend de la composition du parfum. Peu à peu, les notes de cœur s'épuiseront et les notes de fond se feront plus présentes. Les notes de *fond (ou notes résiduelles)* se composent d'odeurs boisées et résineuses (cèdre, bois de Santal, vétiver, patchouli, benjoin, labdanum, mousse de chêne, vanille, etc.) et animales (musc, ambre, civette, castoreum). Les notes de fond sont les plus persistantes. Selon la composition, elles peuvent s'étendre sur quelques heures, des jours, voire des semaines. Ce sont les notes de fond qui assurent la rondeur et la plénitude d'un parfum.

L'évolution progresse de la tête vers le cœur, puis vers le fond. Un bon parfum coule doucement d'une étape à l'autre. Voici la description d'un grand classique de la parfumerie moderne : L'Air du Temps, de Nina Ricci (1947) [5].

L'AIR DU TEMPS de Nina Ricci (1947)		
Tête :	BERGAMOTE Bois de rose, Néroli Pêche, Notes épicées	Fraîche Fleurie
Cœur :	GIROFLE Rose de Mai, Ylang-Ylang Iris, Orchidée, Lis	Floral Épicé
Fond :	BOIS DE SANTAL, MUSC Vétiver, Benjoin, Cèdre Ambre, Mousse	Doux Poudreux Féminin

5. MULLER, J. *The H&R book : Fragrance guide feminine notes*, Londres, Haarmann et Reimer edition, 1984, p. 58.

La vie d'un parfum

Un parfum est constitué de produits ayant des volatilités différentes. On peut le comparer à une glace qui, laissée au soleil, s'évaporerait. Donnons à cette glace la forme d'une fusée [1].

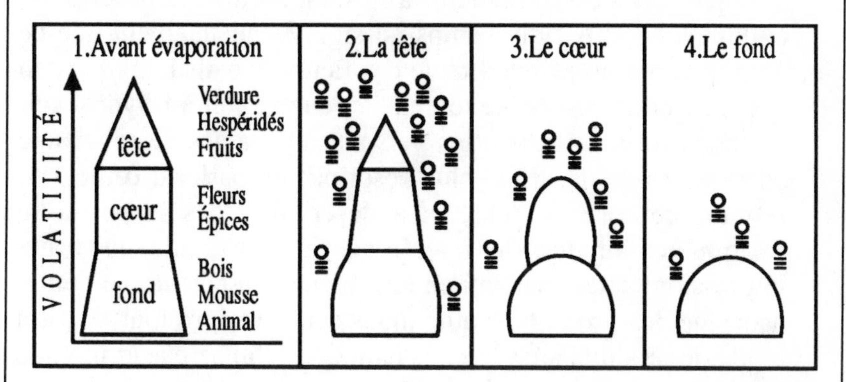

Les notes de têtes, très volatiles, sont les premières à s'épuiser. Puis vient les notes de cœur. Les notes de fond, beaucoup plus lourdes, seront les plus longues à s'envoler.

Les impressions olfactives créées par le parfum dépendent du stade d'évaporation où il sera rendu.

Sur le schéma d'évaporation ci-dessous, on voit que les notes très volatiles de la tête (A) laissent le pas à celles du cœur (B), puis à celles du fond. Il existe un continuum entre les notes. C'est tout doucement que l'on passe d'une note à l'autre.

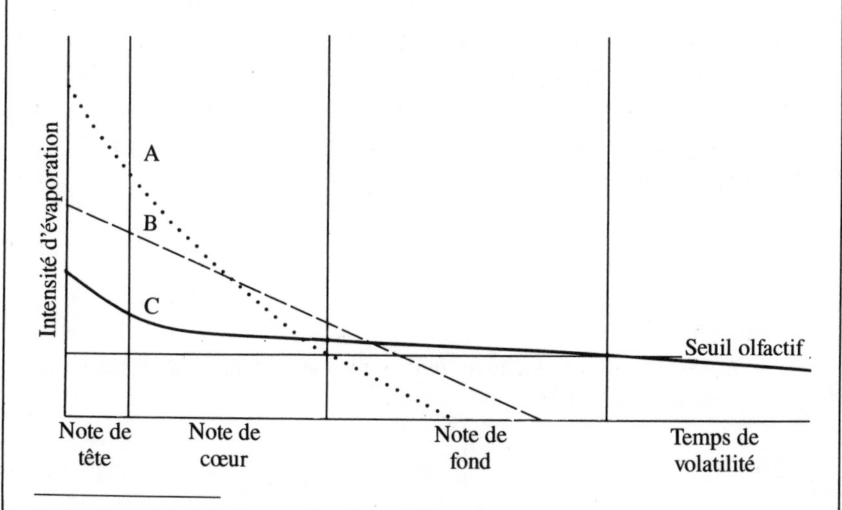

1. Gracieuseté de la Parfumerie Versailles (Chanel Canada).

Vous remarquerez que l'on décrit toujours les trois étapes de la vie d'un parfum en citant des produits aromatiques qui se retrouvent dans la nature. On ne mentionne jamais de produits synthétiques [6]. Une telle description des impressions olfactives d'un parfum n'est nullement sa formule. Ainsi, la description ci-dessus de L'Air du Temps ne signifie aucunement que ce parfum contient les extraits de ces fleurs... mais bien qu'il en dégage l'odeur. Si on se référait à l'eugénol et à l'hydroxycitronnellal, rares seraient les personnes capables de relier une odeur à ces noms. Il est plus descriptif de parler d'œillet, de jasmin, de rose de mai... La description des étapes d'un parfum ne fait donc pas référence à sa formule mais aux impressions olfactives qui en découlent. Un parfum ne contenant que des produits synthétiques serait malgré tout décrit à l'aide de produits aromatiques naturels. N'allez pas croire que les parfums de prestige ne contiennent que des produits naturels. C'est faux. Tous les parfums contiennent des produits synthétiques. Heureusement d'ailleurs ! Sans eux, les compositions parfumées ne cesseraient de se répéter et nous lasseraient. Dès ses débuts, la grande parfumerie s'est servie à la palette des odeurs synthétiques.

Attention : parfum et extrait

Il y a souvent confusion lors de l'utilisation du vocable « parfum ». On l'emploie au sens large pour désigner un arôme, une senteur, une fragrance ; on l'utilise aussi de manière spécifique pour désigner la solution alcoolique la plus concentrée d'une ligne parfumée. Dans ce livre, nous utiliserons « parfum » au sens large et appellerons « extrait » la solution concentrée.

---

6. À l'exception des aldéhydes qui ont reçu leur lettre de noblesse par leur utilisation dans Chanel N° 5.

L'extrait et ses dilutions

Les parfums modernes se composent d'huiles essentielles composées, d'alcool éthylique dénaturé [7] et d'eau. Les huiles essentielles sont le résultat du mélange des diverses matières premières (absolue de jasmin, huile de camomille, oxyde de rose, huile de Santal, aldéhyde, citral, etc.) entrant dans la composition du parfum. Elles détiennent les odeurs. Les huiles essentielles sont diluées dans de l'alcool éthylique et de l'eau pour former une solution alcoolique. Cette solution porte des appellations différentes : extrait, eau de parfum, parfum de toilette, eau de toilette, eau de cologne. Le taux d'huiles essentielles dans la solution alcoolique influence la durée du sillage.

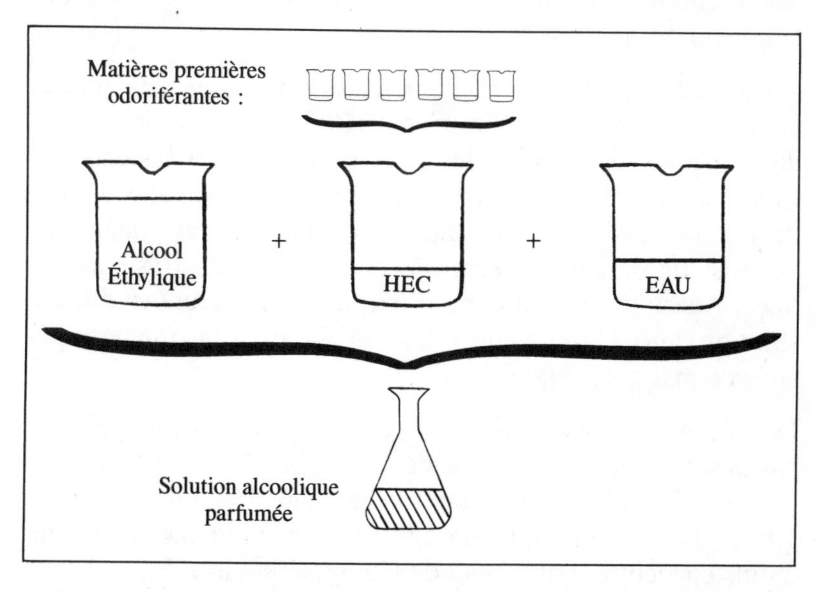

Le pourcentage d'HEC de la solution alcoolique déterminera s'il s'agit d'un extrait, d'un parfum de toilette, d'une eau de parfum, d'une eau de Cologne, etc.

7. L'alcool éthylique est l'alcool que l'on retrouve dans toutes les boissons alcoolisées. On le dénature en ajoutant un agent vomitif qui le rend impropre à la consommation.

Appellation	% de HEC	Durée du sillage
Extrait (ou parfum) Parfum de toilette	15 à 30 %	4 à 8 heures
Eau de parfum	8 à 15 %	2 à 4 heures
Eau de toilette	4 à 10 %	environ 2 heures
Eau de Cologne	2 à 5 %	environ 1 heure

Notons que l'utilisation de ces appellations n'est soumise à aucun contrôle. Certaines maisons peu scrupuleuses peuvent employer ces termes à tort et à travers.

Au départ, ces différentes appellations n'étaient pas reliées directement à leur concentration d'HEC. Il existait un marché distinct pour les extraits, les eaux de toilettes et les eaux de Cologne. Au début du vingtième siècle, des fabricants d'eaux de toilette décidèrent d'attaquer le marché prestigieux des extraits. Ils mirent en vente des eaux de toilette très concentrées. Aussitôt, les fabricants d'extraits répliquèrent en diluant leurs produits [8]. Cette confrontation aboutit à la situation que nous connaissons aujourd'hui.

La parfumerie masculine a suivi une évolution différente de la parfumerie féminine. L'eau de Cologne pour hommes a un taux d'HEC plus élevé que son pendant féminin : environ 10 %. Les lotions après-rasage sont en moyenne deux fois moins concentrées que l'eau de Cologne (environ 5 %). L'apparition de l'eau de toilette pour hommes laisse croire que les solutions alcooliques de la parfumerie de luxe masculine

8. Au début, on ajoutait des composantes citronnées aux eaux de Cologne découlant des extraits. On corrigeait aussi les eaux de toilette en ajoutant des notes fraîches en tête. Aujourd'hui, on se contente parfois de diluer sans apporter de correctif.

s'inspireront bientôt de la parfumerie féminine. En baptisant « eau de toilette » des produits pour hommes, l'industrie ajoute de l'éclat sans augmenter pour autant le taux d'huile qui demeure à 10 %.

L'extrait : un prix locomotive

Le prix de l'extrait est souvent gonflé et sert d'argument de vente à une « eau de parfum » ou à une « eau de toilette » au coût plus abordable. La cliente se procure à 75 $ un flacon de 60 ml d'eau de parfum dont l'extrait vaut 250 $. Le prix élevé de l'extrait sert la stratégie de mise en marché.

Remarquez que l'eau de parfum étant deux fois moins concentrée que l'extrait, 60 ml d'eau de parfum équivalent à 30 ml d'extrait [9]. Pourtant, l'une se vendra 75 $, et l'autre, 250 $. La différence réside dans le prestige. La cliente qui se procure l'extrait paie pour une bouteille plus sophistiquée, pour un emballage plus artistique, mais surtout pour le fait de porter le vrai de vrai, le « nec plus ultra » du parfum.

Extrait et TVA

En France, les eaux de Cologne et les eaux de toilette qui ne sont pas dérivées d'extraits sont encore très prisées [10]. Elles sont vendues en grande diffusion et sont moins sujettes à l'attention du fisc français : si une ligne de produits possède un extrait, tous les produits de cette ligne sont sujets à une taxe à la valeur ajoutée (TVA). Pour contourner cette loi, certaines maisons ont délaissé l'extrait. Elles s'en tiennent à l'eau de

---

9. Certains extraits possèdent des huiles essentielles plus onéreuses qui pourraient expliquer une faible marge de la différence du prix demandé. La véritable explication demeure celle du prestige.
10. Il suffit de penser à l'eau de toilette Bien Être qui est très populaire en France et que l'on ne retrouve pas sur le marché américain. La France n'exporte en Amérique que les lignes de prestige.

parfum (ex. : Paris, de Yves Saint-Laurent) ou à une appellation sublime : esprit de parfum (ex. : les parfums de la maison Christian Dior). Ce faisant, ces maisons se soustraient à la surtaxe [11]. Les appellations n'étant soumises à aucun contrôle, il est aisé de les changer sans pour autant rectifier la concentration d'huiles essentielles.

Maintenant, bouclez vos ceintures ! Nous commençons notre voyage dans le monde des parfums. Première étape : l'odorat.

---

11. La TVA qui touche les extraits était de 33 %. En octobre 1988, elle fut réduite à 28 %. La TVA qui touche les autres concentrations est de 18,6 %.

Chapitre premier

L'odorat et les odeurs

Les cinq sens

La vue, l'ouïe, le toucher, le goût et l'odorat ! Cinq sens qui nous permettent de communiquer avec notre entourage. Si nous étions invités à les classer par ordre d'importance, nombreux serions-nous à mettre l'odorat en fin de liste. À vrai dire, il existe un certain mépris pour l'odorat.

Ainsi lorsque Condillac voulut démontrer comment l'esprit se développait grâce à l'acquisition successive des cinq sens, il commença par l'odorat parce que c'est le sens « qui paraît contribuer le moins aux connaissances de l'esprit humain ». Pourquoi ce mépris à peine masqué pour l'odorat ? L'homme, créature orgueilleuse, en tournant le dos à son odorat, se singularisait par rapport aux animaux. Il se mettait sur un piédestal. L'homme, disait-on, contrairement aux animaux, avait un esprit, une intelligence et pas d'odorat, ou si peu qu'on préférait l'oublier. L'homme se faisait une gloire de ne pas renifler. Cet oubli volontaire de l'odorat, sens animal et honteux, est encore présent dans notre culture moderne. Si les jeunes enfants l'utilisent abondamment pour découvrir leur environnement, très vite, à travers un système d'éducation qui se tait à ce sujet, ils apprendront à oublier ce sens. Les recherches des dernières années sur l'odorat tendent de plus en plus à le réhabiliter. Regardons ce qu'est en fait l'odorat, ce sens « chimique » qui analyse les molécules ambiantes. Penchons-nous sur son utilité.

L'odorat

Il est faux de prétendre que le goût est le seul sens actif lorsque nous mangeons. Nos cinq sens sont sollicités. La vue nous permet d'apprécier la beauté du plat. Certains mets sont si joliment apprêtés qu'il suffit de les voir pour avoir l'eau à la bouche. Prenez un steak, colorez-le artificiellement en bleu : il aura beau avoir la consistance, l'odeur et même le goût d'un steak « authentique », nous aurons de la difficulté à l'apprécier. Un steak cuit doit avoir la couleur d'un steak cuit. L'ouïe nous indique le croquant de certains aliments. Céleri et croustilles perdraient de leur attrait s'ils n'émettaient plus aucun bruit sous la pression des dents. Enlevez ce bruit, et l'industrie des croustilles périclite. Le toucher, que ce soit par les doigts, par la langue ou le palais, nous permet de juger la texture et la température des aliments. Le goût, par l'intermédiaire des papilles gustatives de la langue, nous permet de distinguer si les aliments ont une saveur acide, amère, sucrée ou salée.

Enfin, il y a l'odorat ! L'odorat, qui nous fait saisir l'arôme des aliments. C'est plus souvent le nez que l'estomac qui nous conduit à la cuisine. Mais le rôle de l'odorat ne se limite pas à éveiller notre appétit ; c'est lui qui, grâce à un accès rétro-nasal, nous permet de savourer les aliments.

Prenez une fraise, mettez-la dans votre bouche. La langue et le palais vous informeront sur sa texture, le bout de la langue vous enverra un message sucré, mais c'est à l'odorat que vous devrez de reconnaître la saveur de la fraise. Et ce n'est pas là une mince affaire ! Plus de trois cents composés chimiques naturels composent la saveur de la fraise. Notre odorat est équipé pour analyser ces trois cents composés et envoyer à notre cerveau un message dont le décodage aboutira à cet arôme unique : la fraise. C'est avec l'odorat que nous « goûtons » et non avec la langue ou le palais. Bouchez-vous le nez ou attrapez un bon rhume, et vous ne pourrez apprécier la saveur des aliments. Tout vous paraîtra fade. Ne serait-ce que par cet apport, l'odorat prend beaucoup d'importance. Mais l'utilité de l'odorat ne s'arrête pas là. En fait, l'odorat est une merveilleuse machine qui se distingue de tous les autres sens.

Premièrement, l'odorat possède des cellules nerveuses en contact direct avec l'environnement. Les neurones de l'oreille sont séparés du monde extérieur par le tympan, ceux des yeux, par la cornée. Les récepteurs olfactifs sont tout à fait spéciaux, car ils sont les seuls qui ont un contact direct avec l'environnement.

Deuxièmement, les cellules olfactives se régénèrent. Les neurones, les cellules nerveuses, ne se remplacent pas. Si les neurones de votre moelle épinière se détériorent, c'est la paralysie définitive. Si les neurones de votre rétine s'abîment, c'est fichu pour votre vue. Bref, si une cellule nerveuse est endommagée, elle est perdue pour toujours. En 1972, à l'Université de Floride, à Tallahassee, une équipe de neurobiologistes a découvert que les neurones olfactifs en contact avec l'environnement se régénèrent. La nature confère donc à l'odorat un passe-droit que n'ont ni la vue, ni l'ouïe, ni le goût, ni le toucher.

Troisièmement, l'odorat a un accès privilégié au cerveau. L'odorat émerge directement dans la région des émotions et des souvenirs. Le lobe limbique où aboutissent les messages olfactifs constitue chez bien des animaux primitifs leur cerveau ; on parle dans ce cas de cerveau olfactif. Chez l'homme, le lobe limbique s'est graduellement recouvert du néocortex (cortex cérébral), la matière grise pensante. Cependant la région limbique continue de jouer un rôle important dans nos comportements. Le lobe limbique est le siège des sentiments, des émotions, des souvenirs. Par son accès direct au lobe limbique, l'odorat se trouve à court-circuiter la raison pour plonger dans nos émotions, nos sentiments, nos souvenirs. En d'autres termes, les odeurs peuvent nous faire faire des choses déraisonnables.

Quatrièmement, l'odorat est le sens qui est le moins affecté par la vieillesse. Malgré l'âge, alors que nous devenons durs d'oreille et que notre vision périclite, notre perception olfactive garde sa vigueur. L'odorat est le sens de notre prime enfance et celui de nos vieux jours. Il nous reste fidèle même si nous le négligeons.

Les odeurs

Que sont les odeurs ? Ce sont des molécules contenues dans l'air, qui pénètrent nos voies respiratoires et qui viennent exciter les neurones olfactifs. Nous percevons alors un stimulus que nous trouvons agréable ou pas.

La fonction première d'un sens est de pouvoir communiquer avec son environnement et d'en tirer des comportements. Les odeurs sont donc porteuses de messages. Voyons comment ces messages sont élaborés et reçus chez les animaux.

Les animaux et les odeurs

Les phéromones chez les insectes

Les insectes se servent de messages chimiques pour régulariser leur vie sociale. Une molécule chimique touchera les antennes des termites-maçons et les avertira qu'on a découvert une brèche dans la termitière. Aussitôt les termites-maçons se presseront vers l'endroit où leur service est requis. Une autre molécule mettra sur le sentier de la guerre les termites-soldats. Le système de communication des sociétés d'insectes se fait par le biais de messages chimiques qui provoquent les comportements. On parle dans ce cas de phéromones sociales. Chez les termites, la reine est la principale source d'émission de phéromones.

Il existe aussi des phéromones sexuelles. Certains papillons femelles émettent des molécules chimiques qui éveillent la libido des papillons mâles se trouvant jusqu'à vingt-cinq kilomètres du point émetteur. Tout se passe comme si, dès que la molécule est captée, le papillon mâle ne pouvait faire autrement que de voler à tire-d'aile vers la femelle.

Les poissons

L'eau est chargée d'odeurs. Le saumon, lorsqu'il revient de la mer vers sa rivière natale, est guidé par l'odeur caractéristique de cette rivière, odeur qui s'est imprimée dans le cerveau du saumon dès le début de son développement. La poursuite de cette odeur lui fera parcourir plusieurs milliers de kilomètres en accomplissant des prouesses incroyables pour remonter le courant !

Le requin fait appel à son odorat pour trouver sa proie. Il est en mesure de détecter l'odeur du sang à la concentration infime d'une partie par million.

Les oiseaux

On a tendance à accorder aux oiseaux une bonne vue mais peu de nez. C'est une erreur. Si les oiseaux n'ont pas de nez apparent, il n'en ont pas moins un odorat très développé. Une odeur de poisson peut attirer des fulmars et des puffins sur une distance de trois kilomètres. De la graisse de bacon peut faire déplacer des albatros se trouvant à trente kilomètres.

Pour détecter les fuites dans un gazoduc traversant un semi-désert, les techniciens y injectent une substance à odeur de charogne. Puis ils surveillent le ciel. Les fuites ne tardent pas à attirer les vautours à tête rouge.

Les mammifères

Par leurs fèces, leur urine et leurs glandes odorantes, les mammifères marquent leur territoire et s'identifient les uns les autres. Ils utilisent les odeurs pour signaler un danger, pour choisir leur nourriture et pour procréer.

Le guépard qui marque son territoire de son urine avertit les intrus qu'ils entrent sur sa propriété et les invite à passer leur chemin.

L'odeur chez les rats est le principal critère d'appartenance à une tribu. Car les rats, comme les hommes, se forment en colonies plus ou moins larges ayant une organisation sociale. L'agressivité entre deux colonies de rats est toujours très marquée. Si vous introduisez un rat du groupe A dans le groupe B, il risque de se faire aussitôt dépecer et ne trouvera son salut que dans la fuite. Si vous installez ce rat dans une cage qui le protégera des attaques et le placez dans le groupe B, ce rat aura, après un certain temps, pris l'odeur du groupe B. Si vous le relâchez, aucun rat du groupe B ne l'attaquera. Cependant, ne le ramenez pas dans son groupe d'origine. N'étant plus porteur de l'odeur tribale, il se fera sauvagement attaquer par ses congénères. Une rate en gestation qui sent l'urine d'un rat mâle d'une autre colonie avortera. Chez la femelle, flairer périodiquement l'odeur d'urine d'un mâle déclenchera une puberté précoce. Un rat privé de la vue parviendra à se débrouiller ; privé de son odorat, il verra son activité sexuelle inhibée et finira par mourir. Pour le rat, l'odorat est beaucoup plus important que la vue.

Les odeurs ne définissent pas seulement un territoire ou l'appartenance à un groupe donné. Chez les mammifères, les odeurs interviennent aussi dans la vie de tous les jours.

Lors de leurs rituels d'attaque, les hippopotames se bombardent de gaz intestinaux afin de décourager l'adversaire. Quant à la mouffette, tout le monde connaît l'arme dont elle se sert pour préserver sa tranquillité.

Inutile de préciser que les odeurs interviennent dans l'alimentation. Avant de goûter, les animaux flairent. Dans les films western, le cheval refusant de boire de l'eau empoisonnée et sauvant ainsi la vie du héros est un cliché sur la perception olfactive des animaux. Les animaux ne sont pas à l'abri des empoisonnements.

Chez de nombreux bovidés, l'empreinte de l'odeur de la mère permet au jeune de la retrouver au sein d'un large troupeau. Sans cette indication, il serait complètement perdu.

Le chat qui se frotte sur vous le fait afin de laisser des traces d'une subtance produite par une glande près de ses yeux. Vous ne percevez pas cette « odeur de bonne humeur », mais lui, oui. Il vous marque comme faisant partie des objets ou des êtres qu'il apprécie.

L'acuité de l'odorat du chien n'est plus à prouver. Certains pourraient relever des pistes vieilles de deux semaines. L'univers olfactif du chien est fantastique. Lors d'une promenade, alors que son propriétaire ne fait qu'une marche de santé, le chien est, quant à lui, noyé dans les odeurs. Il apprend qu'un chien inconnu a traversé son territoire, que deux chats se sont battus, que la chienne Lassie est en chaleur, qu'une mouffette s'est sûrement installée dans le voisinage, qu'un homme a passé la nuit sur un banc, que le fils de son maître et sa petite amie sont demeurés un long moment couchés dans l'herbe. Le chien en apprend autant par son nez que vous en lisant votre journal du matin.

Les odeurs sont des messages chimiques captés par l'odorat et qui modifient nos comportements. La perception de l'odeur d'un carnassier fait fuir les proies. Les prédateurs abordent donc leur victime en faisant face au vent. Les premiers hommes, conscients d'être trahis par leur odeur, allaient jusqu'à enduire leur corps des excréments des animaux qu'ils chassaient. Parfum peu agréable mais efficace pour tromper la vigilance olfactive du gibier.

Parfois les molécules odorantes sont trop lourdes pour être senties. Elles doivent être léchées et introduites dans un dispositif olfactif appelé « organe voméronasal » qui se situe chez la plupart des animaux au-dessus du palais. Un taureau qui renifle l'air détectera une femelle en chaleur. Il traversera le champ pour la trouver. Rendu près d'elle, il lèchera sa vulve. L'organe voméronasal analysera la substance. Si le résultat s'avère positif, le taureau passera à l'acte. La nature est ainsi faite qu'elle ne favorise pas le cabotinage. Elle s'assure du sérieux des deux parties.

La mère et l'enfant

Le nouveau-né tourne très tôt son visage en direction de la source olfactive qu'est le sein maternel. L'enfant apprend ainsi à identifier l'odeur spécifique de sa mère. Pour lui, cet odeur a un effet apaisant. Quant à la mère, elle prend plaisir à sentir son enfant.

L'homme et la femme

Avec leurs dix millions de cils olfactifs qui se renouvellent chaque jour, l'homme et la femme sont très bien équipés pour capter les odeurs. Mais sont-ils aussi bien équipés pour en émettre ?

Les odeurs corporelles

Chaque individu est porteur d'une odeur propre. Un chien n'aura aucune difficulté à reconnaître ses maîtres par leur odeur. En fait, il ne se trompera que s'il est confronté à des jumeaux homozygotes, des vrais jumeaux. Le message génétique inscrit dans les chromosomes est responsable de l'apparence unique de chaque individu mais aussi de son odeur.

Des études menées au Monell Chemical Senses Center à Philadelphie ont permis de produire deux souches de souris exactement semblables à l'exception d'un seul gène sur un chromosome. Les mâles de chaque souche préféraient s'accoupler avec les femelles de l'autre souche et les distinguaient en sentant leur urine. On a remarqué un phénomène similaire lors d'études sur les drosophiles. Les mouches mâles possédant les caractéristiques les moins communes au sein d'un groupe donné sont celles qui ont sexuellement le plus de succès. La survie de l'espèce se trouvant favorisée par l'apport de gènes nouveaux, la nature accorde à « l'étranger » un charme et un pouvoir de séduction particulier. C'est pourquoi les souris mâles préféraient s'accoupler avec les souris femelles ayant un génotype différent et qu'elles se servaient de leur odorat pour les distinguer.

Sueur et odeurs

Les glandes sudoripares se divisent en deux types : eccrines et apocrines. Les glandes eccrines excrètent de l'eau. Leur rôle principal est de maintenir la température du corps. Les glandes apocrines se réveillent à la puberté et se nichent dans des endroits où la pilosité se développe : aisselles, appareil génital, torse. Elles excrètent une eau plus riche en acides aminés et en protéines que les glandes eccrines. Cette sécrétion n'a pas d'odeur tant que les bactéries se trouvant sur la peau n'interviennent pas. C'est la dégradation des acides aminés et des protéines de la sueur par les bactéries de l'épiderme qui crée les odeurs corporelles.

Les sécrétions des glandes apocrines, les bactéries et les poils forment un véritable milieu de culture où les odeurs foisonnent. Non seulement les poils augmentent-ils la surface de travail des bactéries, mais ils s'imprègnent des odeurs et en deviennent le véhicule privilégié : ils jouent le rôle d'une mouillette naturelle.

Le port des vêtements est venu aggraver ce phénomène. Emprisonnée par les vêtements, privée d'air, l'odeur produite rancit et perd tout attrait.

Odeurs corporelles et races

Certains croient que « l'intolérance raciste ne viendrait pas de l'œil mais du nez » [1]. L'homme aurait un désir inconscient de protéger son espace personnel des odeurs provenant d'étrangers (comme le font les animaux). Durant la guerre du Viêt-nam, les Viêt-cong reconnaissaient les Américains à leur odeur caractéristique et les Américains les décelaient de la même façon. Le même phénomène s'est produit entre les Allemands et les Anglais lors des deux guerres mondiales.

Odeurs et nutrition

L'arôme des aliments ingérés se retrouve dans la sueur et l'haleine. L'ail illustre bien ce phénomène. Une fois ingéré, l'ail passe dans le système digestif et la substance chimique responsable de l'odeur de l'ail se retrouve dans le sang pour être finalement éliminée au niveau des poumons. L'haleine peu engageante des mangeurs d'ail ne vient pas de leur bouche mais de leurs poumons. On comprend l'inefficacité des rince-bouche dans ce cas.

Les habitudes alimentaires de certains peuples peuvent influencer leurs odeurs corporelles.

> *Ainsi, les habitants d'Europe centrale diffusent l'odeur des choux, des betteraves et des radis qui constituent l'essentiel de leur nourriture. Les Indiens sentent le riz et les épices, tandis que les peuples des mers du sud dégagent une odeur de fruits et de palmes. Pour un Japonais, l'Américain sent le beurre, tandis que ce dernier trouve que lui sent le poisson.*

---

1. NALLET, Ph., *et al.* « Rôle et importance des odeurs dans le comportement de l'homme », *Parfums, cosmétiques et arômes*, Paris, nº 65, octobre 1985, p. 53.

Les Esquimaux, eux, sentent la graisse de baleine, l'huile et la sueur [2].

Plusieurs semaines avant de retourner dans leur pays, des Asiatiques aux études aux É.U. ont pris l'habitude de se purger de l'« odeur américaine » en revenant aux habitudes alimentaires de leur contrée. Riz, nouilles et poissons viennent combattre le fumet générique des Big Mac.

Odeurs, sexe et âge

Les hommes et les femmes n'ont pas la même odeur. Mettez votre nez dans un vestiaire d'hommes après une activité sportive, vous y noterez une odeur aigrelette. Un vestiaire de femmes dégage plutôt un relent laitier. La sensibilité de l'odorat de la femme varierait au cours du cycle mentruel. Lors de l'ovulation, elle serait de dix à cent fois plus fine pour les produits musqués que lors de ses règles. Une substance utilisée comme fixatif en parfumerie, l'exaltolide, n'est perçue correctement que par des femmes pubères. Les hommes et les jeunes filles y sont insensibles.

La puberté sonne à la fois le début de la vie sexuelle, l'enclenchement du fonctionnement des glandes apocrines et l'apparition du système pileux. La nature lie la vie sexuelle aux odeurs corporelles. D'aucuns vont jusqu'à prétendre que le coup de foudre serait causé inconsciemment par l'odeur de l'être désiré. Voilà qui amène de l'eau au moulin des parfums !

La culture, la société, les mœurs, la géographie influencent nos goûts olfactifs. Les Français préfèrent une note plus

2. NALLET, Ph., *et al.* « Rôle et importance des odeurs dans le comportement de l'homme », *Parfums, cosmétiques et arômes*, Paris, nº 65, octobre 1985, p. 52.

sophistiquée et exotique, tel le jasmin. Les Japonais apprécient les fragrances délicates, légères [3], contrairement aux Américains qui aiment les parfums ayant du mordant. Certains parfums destinés aux hommes en Europe et aux É.U. sont portés par les femmes en Amérique du Sud. Au Venezuela, on met dix fois plus de parfum de pin dans les nettoyants à plancher qu'aux É.U. L'odeur du pin y est synonyme de propreté. Les populations nordiques, confrontées au froid, aiment les parfums lourds alors que les méditerranéens, habitués au soleil, préfèrent les arômes de fleurs.

La racinette [4], délice de bien des Américains et Canadiens, serait peu appréciée des Européens. Cette boisson gazeuse est aromatisée au salicytate de méthyle. En prenant une gorgée de racinette, l'Européen aurait la désagréable impression d'avaler un tube de crème servant à apaiser les douleurs rhumatismales.

L'essence de girofle, utilisée par les dentistes contre la douleur, se retrouve parfois associée au mal de dent. Dans ce cas, son utilisation en cuisine n'éveille guère l'appétit. Nous pouvons aussi avoir des comportements différents face à une même substance lorsque celle-ci est présentée en concentration différente. Ainsi l'eugénol sent le clou de girofle à haute concentration, mais rappelle l'odeur de l'œillet lorsqu'il est dilué. La triméthylamine est une substance produite par les chairs animales en décomposition. Cette odeur nous répugne. À dose très diluée, la triméthylamine évoque l'odeur de la crevette fraîchement cuite et éveille l'appétit des amoureux des fruits de mer.

---

3. Le succès foudroyant de *Poison*, de Dior, au Japon porte un dur coup à ce concept. Poison, de Dior, a accaparé 15 % du marché japonais. Du jamais vu ! De là, on a parlé de l'américanisation de la culture japonaise.
4. Cette boisson gazeuse est plus connue sous son appellation anglaise : « root beer ».

Odeurs et hormones

Lorsque des jeunes femmes vivent ensemble dans la même chambre, très souvent leurs cycles menstruels se synchronisent. Le signal causant ce phénomène serait causé par les odeurs corporelles. Une femme ayant un cycle irrégulier peut devenir régulière sous l'influence d'une présence masculine.

Humeur, peur et maladie

Des chercheurs croient qu'une personne a une odeur différente selon qu'elle est malheureuse ou heureuse. Les chiens détecteraient ces subtilités olfactives. Ils ne devinent pas notre humeur, ils la sentent. L'odeur de la peur peut pousser un chien à attaquer ou un cheval à s'emballer. Les souris et les rats se servent des substances odorantes sécrétées en cas de peur comme signal d'alerte pour leurs congénères.

Un individu malade a une fragrance corporelle différente de celle d'un individu en santé. Pendant longtemps, les médecins, à défaut des outils modernes de diagnostic, devaient faire appel à leurs yeux, à leurs oreilles, à leurs mains et... à leur nez. Ainsi la fièvre thyphoïde sent le pain cuit. La rougeole sent les plumes fraîchement arrachées. Les scrofules possèdent l'arôme de la bière éventée. La fièvre jaune exhale l'odeur d'une boucherie. La variole rappellerait la sueur d'oie (?). Les mouches à fruit sont attirées par l'odeur de ceux qui souffrent d'une cirrhose du foie. L'odeur des cacahuètes peut indiquer qu'un enfant a avalé un pesticide. Si un malade sent l'ail, il le doit peut-être à son dernier repas, à moins que ce ne soit à un empoisonnement à l'arsenic. Le diabétique dégage une odeur d'acétone. Le malade en insuffisance hépatique a une haleine fétide, le « fetor hepaticus ». Ceux dont l'enfant a déjà fait une amygdalite connaissent la mauvaise haleine caractéristique qui en résulte.

L'anosmie

Que dire de ceux qui souffrent d'anosmie, de ceux qui ne peuvent sentir ? Ces aveugles du nez passent parfois une grande partie de leur vie sans s'apercevoir de leur handicap. L'olfaction est un sens tabou. On en parle fort peu et le système éducatif l'ignore le plus souvent. Existe-t-il des anosmies partielles ? Oui, certaines personnes, par exemple, s'avèrent incapables de sentir l'urine. Les infirmières et médecins sont souvent surpris de la forte odeur d'urine que dégagent certains malades, alors que ces malades semblent ne pas en être affectés. Il s'agit probablement d'anosmiques de l'urine. Des études avancent même que 30 % de la population souffrirait à des degrés divers d'anosmie de l'urine. Que dire maintenant de la parosmie ? Existe-t-il des daltoniens du nez ? Des gens qui confondent une odeur avec une autre ? Oui ! L'intérêt nouveau pour l'étude des anosmies et parosmies devrait débroussailler ce champ d'étude où bien peu de scientifiques se sont aventurés.

Les résultats d'une étude sur l'odorat, menée depuis 1986 par la revue *National geographic* et par le Monell Chemical Senses Center, à Philadelphie, permettront d'améliorer nos connaissances dans ce domaine. Un million et demi de personnes ont participé aux tests. C'est de loin le plus grand nombre de gens ayant collaboré à une étude scientifique de ce genre.

Une analyse préliminaire portant sur les réponses de 26 200 résidents américains et de 100 000 résidents d'autres pays a fait ressortir certains points :

- les femmes ont un odorat plus développé que les hommes ;
- 35 % des répondants ont révélé une anosmie à l'androsténone (une composante de la sueur) ;
- 29 % des répondants ont démontré une anosmie au galaxolide (musc) ;
- 1,2 % de la population souffre de la perte totale de l'odorat ;

- l'odorat est à son maximum d'efficacité à l'âge de 20 ans. Après quoi, il subit une lente érosion. La femme maintient sa suprématie olfactive dans tous les groupes d'âge ;
- l'anosmie à l'androsténone varie selon le sexe et le pays. Aux É.U., 37,2 % des hommes ne sentent pas l'androsténone contre 29,5 % des femmes. En Afrique, 21,6 % des hommes connaissent le même problème contre 14,7 % des femmes.

Ce ne sont là que quelques points que relève cette étude préliminaire. L'analyse des 1,5 million de réponses devrait permettre de mieux connaître et comprendre la carte olfactive mondiale.

La vente par l'odeur

Durant les années quarante, on fit une étude de marché sur des bas de nylon. Les clientes devaient choisir parmi trois lots celui qui leur paraissait le meilleur. Un des lots était parfumé aux fruits, l'autre, aux fleurs, et le dernier avait gardé son odeur synthétique. Le lot le plus populaire fut celui qui était parfumé aux fruits, car il semblait « plus doux, plus solide ». Tous ces bas étaient identiques, seules les odeurs différaient. Ce fut le point de départ des « ventes par l'odeur ».

De nos jours, la quasi-totalité des articles sur le marché possède une odeur qui en facilite la vente. Souvent, l'odeur est subliminale. Elle est là, mais si infime que nous ne la sentons pas consciemment. Notre inconscient est cependant influencé et voilà que nous préférons cette cravate plutôt que celle-ci. Pourquoi ? À cause de la couleur, dirons-nous ! En vérité, c'est peut-être parce que nous préférons l'odeur des notes « fougère » à celle des « chyprés ».

Le nez peut-il nous tromper ?

Le parfum d'une automobile neuve est composé d'une quinzaine de senteurs reproduisant cette odeur typique. On en vaporise les voitures usagées mais aussi les neuves, afin que le message « automobile neuve » soit bien capté par la clientèle qui est à mille lieues de se douter que cette odeur est un parfum ajouté. Elle y voit une émanation de la voiture neuve, une preuve qui ne trompe pas.

Certains antiquaires ont recours à un mélange d'odeurs de moisi pour vieillir artificiellement les meubles. Là encore, les amoureux d'antiquités font confiance à leur nez. Des experts en marketing déclarent même que l'odeur d'un produit a plus d'importance que sa qualité propre. L'essence d'un objet serait son odeur.

Le parfum « arôme de pain » ou celui « arôme de boucherie » vous a peut-être déjà incité à acheter plus que vous ne prévoyiez. Ces parfums existent sous forme de vaporisateur. Une petite touche dans le magasin et voilà que les ventes grimpent.

Nous ne nous méfions pas de l'odorat. Nous tenons pour acquis que ce sens est trop primitif, pas assez développé pour tromper notre intelligence. Il faut remettre nos pendules à l'heure. Les progrès de l'industrie ont révolutionné cette idée. Les odeurs d'aujourd'hui sont futées et espiègles ! Elles peuvent tromper votre nez, vous faire rêver, vous promettre la lune puis disparaître sans avertir. Les odeurs peuvent vous mener par le bout du nez. Vous faire prendre pour neuf ce qui est vieux, pour vieux ce qui est neuf. Les odeurs ont divorcé des objets. Elles sont libres et notre nez n'y est pas habitué. Mais comment faire preuve de vigilance alors que les odeurs font appel à nos émotions et non à notre raison ? Ce n'est pas facile. Les odeurs ont le beau rôle. Elles n'ont pas fini de nous jouer des tours.

Aromathérapie et aromascience

L'aromathérapie, médecine douce parmi d'autres, se sert depuis longtemps des odeurs comme moyen de guérison. C'est là le reliquat d'une époque où l'on conférait un rôle curateur aux odeurs. Tombée depuis longtemps en désuétude, l'aromathérapie renaît de ses cendres.

Saviez-vous que les glandes surrénales seraient stimulées par l'odeur de la sarriette ? le système nerveux central, par celle du thym, de la lavande et de l'aspic ? les organes génitaux et la libido par la cannelle et le girofle ? Certaines odeurs auraient des propriétés antiseptiques et antibiotiques.

C'est ainsi que des « remèdes de grand-mères », tels les sachets d'ail, les mouches de moutarde, le camphre, reçoivent toute l'attention des multinationales qui commercialisent les odeurs. Elles ne peuvent négliger ce marché prometteur et font bonne presse aux principes de l'aromathérapie dans leur tentative de créer une aromascience.

L'International Fragrance and Flavor envisage la mise au point de molécules odorantes ayant des effets psychologiques et physiologiques sur l'organisme. L'IFF, géant mondial de l'industrie des odeurs et des arômes, travaille actuellement sur des parfums à tendance stimulante ou relaxante. Il n'est pas loin le temps où le parfum du shampooing facilitera le sommeil et celui où le savon remplacera le café noir. On a trouvé des molécules odorantes qui peuvent provoquer une baisse de la température du corps, et d'autres qui diminuent la pression sanguine. Dans un proche avenir, votre médecin vous conseillera peut-être de humer telle substance trois fois par jour pour vaincre votre hypertension. On soigne par les piqûres, par la bouche. Demain, on soignera par le nez.

Les parfums

Pourquoi les gens se parfument-ils ? Pour plaire ? Pour se donner confiance ? Pour leur plaisir ? Pour communiquer leurs sentiments, leurs humeurs ? Pour s'insérer socialement ? Pour s'affirmer ? Pour séduire ? Pour exciter le partenaire sexuel ? Pour masquer les mauvaises odeurs corporelles ? Pour dominer ? Les raisons abondent ! Aussi l'homme et la femme ont-ils très tôt utilisé des produits odorants. Jetons un coup d'œil sur l'histoire parfumée des hommes et des femmes.

Chapitre 2

Les parfums : leur histoire

Les parfums sont vieux comme le monde

L'utilisation de matières odorantes naturelles remonte aux âges les plus reculés. On les retrouve dans toutes les civilisations antiques. En fait, leur emploi s'amplifie à mesure que les mœurs d'une civilisation se raffinent.

Dans l'Ancien Testament, on cite la jeune juive Esther qui, avant d'être présentée au roi des Perses, son futur époux, dut enduire son corps pendant six mois d'huile de palme et de cannelle. On imagine sans peine l'étendue de son sillage. La discrétion ne semble pas avoir été le propre des Perses.

En Égypte, en Assyrie et en Inde, le parfum avait une signification métaphysique et religieuse. Dans l'Antiquité, c'est en Égypte que l'industrie du parfum connut son heure de gloire. On se servait des matières odoriférantes pour embaumer les morts [1], pour la médecine, pour les cérémonies religieuses. Les matières premières utilisées se résumaient aux

1. Chaque momie avait son parfum. Si jamais la momie était saccagée, on croyait que l'esprit allait pouvoir récupérer les morceaux grâce à leur odeur spécifique.

résines, aux épices et à certaines huiles végétales ou animales. On y connaissait fort peu les essences de fleurs.

Même si les parfums étaient étroitement associés au culte, il n'en existait pas moins un usage profane. Sous les derniers Ptolémées, l'utilisation des parfums confina à la démence. Cléopâtre charma Antoine grâce à sa beauté, à son intelligence, mais aussi à ses parfums. Elle parfumait le parvis de la salle où elle offrait des festins à Antoine. On brûlait de l'encens et on jetait des fleurs et des parfums dans le sillage de sa trirème.

Dans le Nouveau Testament, les rois Mages offrent à l'Enfant-Dieu de l'encens [2], de la myrrhe et de l'or. C'est tout dire de la valeur accordée aux produits odoriférants.

De l'Égypte vers la Grèce, de la Grèce vers Rome

Les Grecs ajoutèrent à la gamme des odeurs les huiles aux fleurs. Le parfum devint si populaire à Athènes que Socrate voulut le bannir : « Car on ne distingue plus, quand ils sont parfumés, un homme libre d'un esclave [3]. » Sparte, ville de discipline, demeura réfractaire aux parfums. De la Grèce, le parfum aboutit à Rome. La vogue commença sous Jules César [4], pour aboutir sous Néron à une vraie frénésie. Tout était parfumé : les bains, les vêtements, les atriums, l'huile des lampes, l'esclave favorite, le cheval et même les voiles des bateaux !

---

2. L'encens et la myrrhe proviennent de la résine de certains arbres que l'on trouve en Arabie. Ces deux produits étaient très prisés et fort onéreux. La myrrhe aurait été offerte à Jésus parce qu'il était un homme ; l'encens, parce qu'il était Dieu ; et l'or, parce qu'il était roi.
3. COLA, Félix. *Le livre du parfumeur*, Paris, Édition du Layet, 1980, p. 41.
4. Jules César préférait les hommes sentant l'ail plutôt que le parfum.

Lors des orgies, les roses pleuvaient des plafonds ; on couvrait d'eau et d'huile parfumée des colombes que l'on libérait sur les lieux du festin. En battant des ailes, les colombes se déchargeaient des produits odoriférants dont elles étaient imbibées : le premier vaporisateur était né. Pline le Jeune relate que lors des funérailles de Poppée, femme de Néron, on brûla la production annuelle d'encens de l'Arabie. Suétone renchérit et parle de la production de dix ans.

Les boutiques des parfumeurs à Rome devinrent le lieu de rendez-vous de la haute société. On allait chez le parfumeur comme aujourd'hui on se rend au club ou au salon de thé. C'est là que s'échangeaient les ragots et les dernières nouvelles.

Le christianisme mettra fin à cette folie furieuse. Des édits expulseront les parfumeurs des cités et stopperont les importations des matières odoriférantes.

L'Islam

L'Islam marque un autre jalon de l'histoire des parfums. L'Arabie, où est né l'Islam, est la terre classique des parfums : on y trouve myrrhe, encens, cannelle, nard. Il ne faut donc pas s'étonner de ces mots de Mahomet : « Les femmes, les enfants et les parfums sont ce que je chéris le plus au monde. » Les Arabes avaient une prédilection pour trois odeurs : la rose, le musc et, plus tard, l'ambre. La connaissance du procédé de la distillation leur permit de développer des essences de fleurs jusqu'alors impossibles à produire. Mais la rose demeura prépondérante. La rose, dont l'Inde et la Perse se disputent l'origine, symbolise pour les Arabes la beauté parfaite, la gloire et la volupté. Tout, en Arabie, était parfumé d'eau de rose.

Le musc était aussi très prisé. Ainsi les houris, ces femmes promises par le Coran au musulman dans la vie future, n'étaient pas des êtres mortels, et le musc le plus pur symbolisait leur présence éthérée. On incorporait au mortier des mosquées une petite quantité de musc et, encore aujourd'hui, un nez averti peut détecter cette odeur musquée lorsque le soleil chauffe les pierres.

L'influence de la civilisation arabe s'étendra en Europe. L'Espagne, par ses contacts avec les Maures, et l'Italie, par l'intermédiaire de Venise et de son commerce intensif avec l'Orient, furent les premiers pays européens à manufacturer des parfums. Rappelons que l'Espagne a longuement appartenu à l'islam. Les Arabes y produisaient des peaux odoriférantes destinées à faire des bourses, des pourpoints et surtout des gants. C'est pour concurrencer les peaux d'Espagne que les tanneurs de Grasse, un village de Provence, allaient eux aussi développer une industrie pour parfumer leurs produits.

Le Moyen Âge

Dans l'Europe du Moyen Âge, l'usage profane des parfums était presque inexistant. Le parfum était réservé uniquement au culte. Encore aujourd'hui, en emploie de l'encens lors de certaines cérémonies religieuses.

Les croisades réintroduisirent en Europe l'habitude de se parfumer. Au contact des Musulmans, les croisés se raffinèrent et revinrent en Europe avec un nez plus délicat et des produits exotiques tels que les broderies, tapis, épices aromatiques, onguents et essences parfumées.

Dans les monastères et les abbayes se développèrent des recherches autour de deux rêves empruntés aux Musulmans : la Pierre philosophale et l'Élixir de longue vie. Nous verrons plus loin l'importance qu'eurent ces recherches dans l'histoire du parfum.

En 1202, Venise conquérait Constantinople. La demande de produits odoriférants augmenta. Les Arabes, via l'Italie, fournissaient l'Europe, hérétique mais lucrative. Les Italiens étaient, aux XIVe et XVe siècles, les plus riches habitants de l'Europe. L'Italie était le centre de transit de tous les biens de luxe et le foyer de la Renaissance. Mais un déplacement allait bientôt s'effectuer. Venise perdra Constantinople aux mains des Turcs. L'Espagne, par l'entremise d'un Italien, Christophe Colomb, découvrait l'Amérique.

L'héritage maure des Espagnols, allié à la découverte de nouvelles substances aromatiques venues d'Amérique, allait permettre aux Espagnols de disputer à l'Italie la suprématie sur le marché des parfums. Le sud de la France profita des influences de l'Espagne et de l'Italie. Narbonne devint célèbre pour ses huiles essentielles. Montpellier devint réputé pour son industrie des parfums. Grasse n'apparaît alors que modestement dans le tableau de l'industrie des parfums. François Ier aura à son service un parfumeur espagnol, Francesco d'Escabar. Parallèlement, la Renaissance franchit les Alpes et s'étendit au nord de l'Italie. Catherine de Médicis, riche Italienne et épouse du futur Henri II, roi de France, favorisera l'installation des parfumeurs italiens au détriment des parfumeurs espagnols. La parfumerie française naîtra du choc des parfumeries italiennes et espagnoles.

L'hygiène sèche

Nous sommes au début du XVIe siècle. Rapidement les produits odoriférants entrent dans les mœurs des nobles français. Ici, une parenthèse doit être ouverte pour expliquer l'importance que revêtait le parfum pour les gens des XVIe, XVIIe et XVIIIe siècles.

À l'époque, leur vision du corps humain, des maladies et de l'hygiène rejetait la toilette humide. Si vous préférez : on ne se lavait pas. Pour ces gens, l'air ambiant véhiculait des mauvaises odeurs et des miasmes, qui pouvaient pénétrer dans le corps humain par les pores de la peau, les oreilles, les narines, la bouche et causer la maladie. Pour eux, la mauvaise odeur était synonyme de maladie. C'est par la mauvaise odeur que la maladie se transmettait, alors que les bonnes odeurs étaient un signe de santé.

Pour empêcher les mauvaises odeurs de les attaquer et de les infecter, ils se servaient de la sueur et de la crasse comme d'un vernis protecteur bouchant les pores de la peau. Les parfums, les sachets odoriférants que l'on mettait sur le linge, les cheveux, les mouchoirs, les gants, formaient une cloche de protection, une atmosphère personnelle qui les suivait au cours de leurs déplacements et les mettait à l'abri des émanations putrides de l'extérieur.

Et ces précautions étaient prises au sérieux, car les croisés n'avaient pas ramené seulement des parfums du Proche-Orient mais également... la peste. Cette terrible maladie, qui sabra le tiers de la population française, avait de quoi effrayer. Lors des épidémies qui ravagèrent l'Europe, les médecins se vêtaient d'un grand manteau noir. Un casque pourvu d'un long bec pointu, qui les faisait ressembler à des corbeaux de malheur, couvrait leur tête. Ils ne s'habillaient pas ainsi pour apeurer les malades. Ils avaient suffisamment peur eux-mêmes. Non, dans le bout de ce long bec se trouvait une poche d'aromates qui devait les protéger des odeurs pestiférées et, par le fait même, de la contagion.

Dans ce contexte de peur, la crainte de l'eau atteignit un paroxysme. L'hygiène à l'eau était proscrite : « l'eau qui lave ne protège pas le corps, elle l'agresse » [5].

Ici, deux citations. La première date de 1691 :

> *Se laver avec de l'eau nuit à la vue, engendre des maux de dents et des catarrhes, appâlit le visage et le rend susceptible de froid en hiver et de hasle en été* [6].

---

5. LE GUERER, Annick et Georges VIGARELLO. « La propreté au temps de Louis XIV », dans *L'histoire*, Paris, nº 78, mai 1985, p. 8.
6. Anonyme, *La civilité nouvelle contenant la vraie et parfaite instruction de la jeunesse*, Bâle, 1671, p. 69.

En 1585, Ambroise Paré, le plus illustre médecin de son temps, disait ceci :

> *On doit défendre les étuves et les bains en raison qu'après qu'on en est sorti, la chair et l'habitude du corps en est ramollie et les pores ouverts, et partout, la vapeur pestiférée peut entrer promptement dedans le corps et faire mourir subitement, ce qu'on a vu plusieurs fois* [7].

Faut-il en conclure que les Français de cette époque étaient sales ? Qu'ils n'étaient pas préoccupés par leur hygiène ? Oh que non ! Ils ne se lavaient pas, mais ils se parfumaient abondamment ! Ils se purgeaient et subissaient des saignées mensuelles. Ils changeaient de linge tous les jours. Même s'ils ne se lavaient pas, ces gens étaient d'une propreté exemplaire : ils avaient tout simplement un autre point de vue que le nôtre sur la propreté. D'ailleurs, encore aujourd'hui, lorsqu'on parle des toilettes d'une femme, on désigne ainsi sa garde-robe. Ce n'est que beaucoup plus tard que l'expression « faire sa toilette » désigna le geste de se laver avec de l'eau.

Voici ce qu'écrivait en 1688 Charles Perrault, auteur des célèbres *Contes* :

> *Il ne tient qu'à nous de faire de grands bains, mais la propreté de notre linge et l'abondance que nous en avons valent mieux que tous les bains du monde* [8].

Autre citation d'un Anglais en voyage sur le continent :

---

7. PARÉ, Ambroise. *Oeuvres*, Paris, 1585, p. 56.
8. PERRAULT, Charles. *La querelle des Anciens et des Modernes en ce qui regarde les arts et les sciences*, Paris, 1688, p. 80.

Pour la propreté de la peau et la santé, une bonne chemise de toile changée tous les jours vaut à mon avis le bain quotidien des Romains [9,10].

À cette époque, le linge éblouissant était un signe de propreté, ainsi que la force des effluves. Et quels effluves ! Ces gens n'y allaient pas de main morte avec les parfums : leur santé en dépendait.

Vous comprendrez maintenant pourquoi les hommes et les femmes se parfumaient abondamment. Le parfum n'était pas une coquetterie mais une nécessité hygiénique et thérapeutique. La bonne odeur était censée tuer le mauvais air et la maladie.

Alcool et élixir de longue vie

Tranquillement, sous les pressions du marché, les tanneurs de Grasse avaient évolué vers le parfum. De tanneurs, ils deviendront gantiers. Au XVIIe siècle, le Parlement autorisera les maîtres-gantiers à s'appeler maîtres-parfumeurs.

Le support des parfums de l'époque ressemblait très peu à ceux qui existent d'aujourd'hui. On vendait des sachets, des gants, des rubans, des poudres, des essences, des huiles, des savonnettes, des vinaigres de toilette, des pommades, des mouchoirs. Graduellement, les eaux à base alcoolique firent leur entrée. Ces eaux devaient donner naissance aux parfums tels que nous les connaissons aujourd'hui.

D'où viennent ces eaux ? Elles sont le fruit des recherches des alchimistes sur l'Élixir de longue vie, Aqua Vitae en latin, ou si vous préférez la traduction littérale, Eau de vie.

---

9. LISTER, M. *Voyage à Paris*, Paris, 1873 (première édition : 1699), p. 44.
10. Les quatres dernières citations ont été tirées d'un article de Annick le Guerer et Georges Vigarello : « La propreté au temps de Louis XIV », parue dans la revue *L'histoire*, n° 78, p. 6 à 13.

En faisant la distillation du vin, reconnu pour allonger la vie, les alchimistes en retirèrent ce qu'ils appelèrent l'eau de vie. Ils lui donnèrent aussi le nom arabe signifiant Élixir de longue vie : « alcohol ».

À partir de cet « alcohol » ou esprit du vin, de nombreuses recettes virent le jour dans les différents monastères et abbayes. On y ajouta des herbes aromatiques réputées pour leur pouvoir curatif. Car ces eaux étaient considérées comme des remèdes miracles, des panacées.

Une citation datant de quarante ans à peine, tirée de la revue *La Parfumerie moderne*, vous fera mieux comprendre l'origine thérapeutique du parfum contemporain.

> *Les dilutions alcooliques parfumées ne furent pas créées à l'origine, pour le plaisir des sens : les préoccupations des inventeurs étaient plus nobles. Qu'il s'agisse des Eaux d'Ange, de l'Eau de la Reine de Hongrie ou des Eaux d'Arquebuse, c'est toujours dans un but curatif ou prophylactique qu'elles ont été réalisées. Élixirs de Longue Vie, Baumes d'Acier, Vulnéraire, Dictames d'Éternelle Jeunesse avaient l'ambition de soulager, de guérir, de prolonger la vie. On les employait davantage à l'usage interne (on les buvait) qu'à l'usage externe, mais l'emploi qu'on en fit pour les soins de la peau et de la chevelure engendrèrent graduellement leur destination actuelle.*

Et que penser de cette autre citation sur les propriétés thérapeutiques de l'eau de Cologne ? Elle est aussi tirée de la revue de *La Parfumerie moderne* et date d'octobre 1947.

> *Le complexe Eau de Cologne constitue vraiment le tonique par excellence et son absorption par la peau permet d'éviter son usage interne qui n'est plus guère possible depuis que l'on utilise de l'alcool de parfumerie plus ou moins dénaturé au musc artificiel, dont le goût est insupportable.*
>
> *Son action sur le réseau nerveux superficiel est divers : en effet, la lotion est hypnotique pour les nerfs sensitifs, réchauffante pour les nerfs donnant la sensation de froid et de chaud*

et motrice pour ceux qui commandent la circulation veineuse et artérielle.

Appliquée au creux de l'estomac, elle active et stimule les fonctions digestives, tonifie et apaise le plexus solaire ; à l'abdomen, elle calme les douleurs cataméniales et facilite les fonctions périodiques ; au creux des reins elle accentue la diurèse, atténue les douleurs et dissipe les lumbagos : c'est le vaso-moteur à utiliser en première instance contre les foulures et ecchymoses ; c'est le détersif et l'hémostatique nécessaire dans tous les cas de blessure ou d'écrasement ou de choc traumatique.

Elle devrait être employée à la place de l'éther chaque fois qu'il faut déterger la peau pour y pratiquer une piqûre ou une intervention quelconque [11].

Le parfum moderne est le surprenant aboutissement des travaux des alchimistes du Moyen Âge à la recherche de l'Élixir de longue vie, un rêve emprunté aux Arabes. Aussi ne faut-il pas s'étonner si, dans les premières eaux alcooliques, des matières comme du jus de crapaud, du sang de chien ou des toiles d'araignée intervenaient. Les alchimistes traînaient avec eux une longue tradition dont il n'était pas aisé de se défaire. Mais reprenons notre histoire.

La France

Grasse, ce petit village de Provence, allait sortir de son anonymat en développant l'enfleurage sur graisse de porc [12]. Rapidement, la qualité des huiles essentielles ainsi produites allait permettre à Grasse de supplanter Montpellier et de devenir la capitale des parfums.

---

11. « Eaux de Cologne », *La Parfumerie moderne*, octobre 1947, p. 62.

12. La graisse accapare bien les odeurs. L'enfleurage consistait à disposer des fleurs dans le mince espace séparant deux couches de graisse. La graisse se nourrissait du parfum des fleurs. Par la suite, on lavait la graisse avec de l'alcool pour récupérer le parfum.

Louis XIV n'aimait pas les odeurs lourdes. Il préférait les parfums fleuris et délicats. À la cour de Louis XV, l'étiquette voulait que chaque jour ait son parfum. Mme de Pompadour appréciait l'odeur de hyacinthe. Sa remplaçante auprès du Roi, Mme Du Barry, lança la mode d'employer des eaux alcooliques parfumées comme « parfum ». Auparavant, on les utilisait seulement comme médicaments internes et externes.

À cette époque, la mode était aux perruques parfumées ainsi qu'aux grains de beauté. Les grains de beauté devaient rehausser la blancheur de la peau. Ils étaient trempés dans le parfum puis collés sur les joues, la poitrine ou selon la fantaisie de l'utilisatrice [13].

Les éventails utilisés à la cour de Louis XV étaient fortement parfumés. On s'en servait non seulement pour se rafraîchir, mais surtout pour dissiper son parfum. De nombreuses boutiques fournissaient la noblesse en matière aromatique. L'une d'elles, *La Corbeille à Fleurs* du faubourg Saint-Honoré, était tenue par un jeune Grassois, Jean-François Houbigant. Cette compagnie existe toujours et elle peut se targuer d'être la plus vieille parfumerie d'origine française.

L'Angleterre

Ce n'est qu'à partir de Henri VIII (1491-1547) que le parfum gagna en popularité en Angleterre. Sa fille, Elizabeth, friande de parfums, donna des ordres pour créer et protéger cette industrie. À cette époque, on portait beaucoup de pomandres : des parfums pâteux enfermés dans un réceptacle en forme de pomme, et qu'on appela pomme d'ambre, puis pomandre. On croyait que les pomandres pouvaient préserver de la peste et on les tenait généralement à la portée de la main pour pouvoir les

13. Des jeux érotiques de l'époque consistaient à trouver le grain de beauté.

respirer fréquemment, surtout lorsqu'une mauvaise odeur se manifestait.

On se rappelle que les grains de beauté devaient faire ressortir la blancheur de la peau. Un traité de beauté du XVIIe siècle écrit par la duchesse de Newcastle conseillait aux dames de qualité de se laver le visage avec du vitriol pour se renouveler l'épiderme et le conserver blanc. Espérons que les autres recettes étaient plus douces.

Le parfum au purgatoire

À la fin du XVIIIe siècle et au début du XIXe, le développement de la science battit en brèche les vieux concepts de la toilette sèche. On s'aperçut que les odeurs n'étaient pas le vecteur des maladies : on découvrit les microbes.

C'est ainsi que Marat, ce grand de la Révolution française, sera assassiné dans un endroit où on aurait cherché en vain à surprendre Louis XIV : dans un bain !

La Révolution française fut suivie de la République et de l'Empire. Napoléon 1er non seulement fut un grand général, il fut aussi un législateur de génie. En 1810, un de ses décrets stipulait que toute substance parfumée contenant de l'alcool et vendue à des fins thérapeutiques devait porter une étiquette en spécifiant les ingrédients. Évidemment, personne ne voulut donner ainsi sa recette à la concurrence, et les eaux parfumées (Eau de Cologne, Eau de la Reine de Hongrie, Eau d'Ange, etc.) cessèrent toute publicité concernant leurs propriétés médicinales. De médicaments, les eaux parfumées allaient devenir ce qu'elles sont maintenant.

Si Napoléon s'aspergeait d'eau de Cologne et d'eau de violette, si Joséphine appréciait le musc, le XIXe siècle n'en fut pas moins une période où les parfums durent se recycler. Ayant perdu son volet thérapeutique, la parfumerie survécut difficilement en s'adaptant de peine et de misère à son époque. La mode n'était plus aux odeurs ambrées, musquées et civettées, mais aux arômes délicats des fleurs. Il ne fallait plus agresser l'odorat, mais le caresser. On délaissa les substances animales considérées comme excrémentielles et on développa des parfums dits uniflores : parfum d'une seule fleur. On ne parfumait pas la peau mais les mouchoirs.

Les odeurs permises étaient : la rose, le jasmin, la fleur d'oranger, la cassie (mimosa), la violette et la tubéreuse.

On se mit aussi à développer des bouquets : des parfums composés de la senteur de plusieurs fleurs.

Le XIXe siècle fut l'époque de la femme-fleur, de cette femme qui s'évanouissait si on disait un gros mot, de cette femme qu'il fallait protéger, couver et qui ne devait surtout pas déranger. De la femme occupant sagement la place que l'homme lui avait choisie.

Pauvre femme, direz-vous ! Et que penser alors du stéréotype masculin obligeant l'homme à être logique et rationel, et lui interdisant de se parfumer sous peine de paraître efféminé. À la limite, on tolérait les eaux de Cologne avec leurs notes citronnées ou les eaux de lavande. Longtemps grand utilisateur de matières odoriférantes, l'homme renonçait aux parfums.

En 1838, Mme de Bradi déclara :

> *Les parfums sont passés de mode, ils étaient malsains et peu séants aux femmes, car ils attiraient l'attention* [14].

Certes, il y eut parfois dans cet horizon terne quelques feux d'artifice : ainsi vers 1850, la mode fut au patchouli, une matière importée de Chine par l'Angleterre. Mais les thèmes floraux maintinrent leur primauté. C'est en 1860 que Pierre Guerlain présenta à l'impératrice Eugénie, la femme de Napoléon III, son Eau Impériale [15]. La maison Guerlain faisait son entrée dans la parfumerie à une époque difficile. Cette mise au

14. CORBIN, A. *Le miasme et la jonquille*, Paris, Aubier, 1983, p. 230.
15. Ce parfum est encore vendu aujourd'hui.

rancart des parfums s'avérera beaucoup plus durable dans les pays de souche anglo-saxonne. L'époque victorienne du parfum commencera à s'effriter vers les années 1930 en Angleterre, au Canada (Québec compris) et aux États-Unis. Dans ces pays, on perçoit encore des relents de cette période où les parfums « étaient malsains et peu séants ».

La parfumerie moderne en gestation

En 1860, Londres et Paris sont les deux capitales du parfum. Leningrad se classe troisième.

Les parfumeurs français se cherchent. Jusqu'alors, ils s'étaient contentés de répondre aux désirs des clients, et ils veulent maintenant sortir la parfumerie des pharmacies pour en faire un art. La synthèse chimique de nouveaux éléments odorants vient diversifier leur palette. Le vaporisateur naît. L'introduction des solvants volatils (éther de pétrole, benzène) servant à extraire les odeurs de leur support naturel révolutionne l'industrie des odeurs. Les coûts baissent. La qualité croît. Grasse se place au sommet de l'industrie des parfums en se convertissant à cette nouvelle technologie.

Le parfum adopte définitivement son véhicule moderne : l'alcool. Le parfumeur connaît les affres de la création artistique et essaie de définir ce qu'est un parfum. C'est à cette époque (fin du XIXe siècle) qu'apparaît la notion des trois étapes dans l'expression d'un parfum.

La note de tête (ou envolée)	se distingue dès les premières secondes d'évaporation.
La note de cœur (ou bouquet)	elle apparaît après quelques minutes. C'est là que le parfum se révèle dans sa plénitude.
La note de fond	plus profonde, c'est elle qui persistera.

Les trois notes doivent se compléter, s'équilibrer pour former une continuité, un tout. Le parfum devient une œuvre d'art complexe où entrent des dizaines, voire des centaines d'éléments. L'idée du parfum moderne est en place. Le XXe siècle commence. Paris éclipse Londres.

François Coty et la parfumerie moderne

En 1900, il existe 500 à 600 parfums sur le marché. Les trois maisons à retenir sont Guerlain, pour son prestige, Houbigant, pour son âge, et Coty, la plus jeune mais aussi la plus dynamique.

L'époque se prête aux changements. En 1905, François Coty créera Origan. Ce parfum délaisse les thèmes floraux pour l'ambre. Origan fera époque non tant pour son odeur que pour le « marketing » dont il fut l'objet.

Pour François Coty, un parfum n'est pas seulement une odeur. Il est aussi un objet. Même plus, « avant d'être senti, un parfum est vu ! ». S'alliant avec des maîtres verriers [16], Coty fait du parfum une œuvre d'art. Avec Coty, le marketing du parfum est né.

Toutes les maisons lui emboîtent le pas. On invente, on innove tant dans la présentation que dans les odeurs. Les parfums que l'on disait forts et indiscrets reviennent à la mode. Maintenant, on les dit pénétrants et capiteux. La parfumerie se crée un vocabulaire où se mêlent poésie et mystère. La clientèle est désorientée. Alors qu'avant elle réclamait une Eau de violette, maintenant elle se voit offrir Idéal, Pompeia, Jicky, Le trèfle incarnat, Air embaumé, Origan, Après l'ondée, Fougère royale, Cœur de Jeannette, Une verveine se meurt, Je n'ose-

---

16. François Coty intéressa à ses projets un artiste-bijoutier célèbre : René Lalique. Les verreries Lalique, reconnues mondialement, doivent leur existence à François Coty.

rais vous aimer, Billet doux, Énigma, Sous-bois, Le jardin de mon curé, Joujou, Mandragore.

Les nouveaux parfums captivent, font rêver, s'imprègnent de romantisme. Les parfumeurs ne sont plus les pharmaciens des odeurs, ils en sont les artistes. Tranquillement, « le mouchoir est remplacé par sa propriétaire » [17]. Les femmes mettent le parfum sur leur peau.

Les couturiers

Cette véritable révolution dans le rôle du parfum attirera l'attention de la haute couture. Car, si le parfum devient de plus en plus un produit lié à l'élégance, qui peut, mieux que les couturiers, évaluer les exigences de l'élégance féminine ?

En 1911, Paul Poiret deviendra le premier couturier-parfumeur. Son succès sera fort mitigé. Au lendemain de la Seconde Guerre mondiale, l'émancipation des femmes de la petite et de la moyenne bourgeoisie vient agrandir le marché du parfum. À partir de 1920, presque toute la haute couture cède à la tentation du parfum : Coco Chanel, Jeanne Lanvin, Worth, Callot, Molyneux, Lucien Lelong, Nicole Groulx, Max. Les couturiers se feront tranquillement un créneau dans le milieu des parfumeurs. L'arrivée incessante de nouveaux couturiers sur ce marché leur assurera une place de plus en plus large.

Les couturiers engageront des parfumeurs de renom. C'est ainsi qu'Ernest Beaux, chassé de Russie par la révolution, créera le N° 5 pour Chanel. De patron, le parfumeur devient peu à peu mercenaire ou fournisseur. À partir des années 30, des compagnies se lancent résolument dans la création de parfums pour les couturiers. De 1919 à 1930, 800 parfums naîtront. Vous vous imaginez sans peine l'incroyable bouillon-

17. DELBOURG-DELPHIS, Marylène. *Le sillage des élégantes: un siècle d'histoire des parfums*, Paris, J.C. Lattès, 1983, p. 58.

nement de ces années. Paris de l'entre-deux guerres fut au parfum ce que Silicon Valley a été au microprocesseur.

En 1941, nous retrouvons, parmi les parfums les plus populaires : Chypre, de Coty, Soir de Paris et Heure bleue, de Guerlain, Quelques Fleurs, de Houbigant. À ceux-ci s'ajoutent Arpège, de la couturière Jeanne Lanvin, et Cuir de Russie, de la célèbre Coco Chanel.

Les Américains entrent dans la danse

La fin de la Seconde Guerre mondiale allait permettre la démocratisation et l'internationalisation des parfums. Tranquillement, alors que la guerre suscitait des problèmes chez les parfumeurs français, l'Amérique construisait son nid. Hommes et femmes d'affaires américains visaient le plus grand marché possible. Alors que les Français parlaient d'habiller la femme d'un parfum, les Américains n'eurent aucune gêne à parler d'argent. Pour eux, il n'y avait pas de honte, mais de la fierté, à gagner de l'argent.

Les Américains héritèrent du tabou que les Anglais entretenaient à l'égard des parfums. Peu à peu la vapeur allait se renverser. Les deux guerres mondiales furent à l'industrie américaine du parfum ce que les croisades avaient été à la parfumerie française. Florida water [18] (note hespéridée), Bay Rum et Lavender water faisaient place à des fragrances plus vives. Des compagnies comme Fabergé, Estée Lauder, Revlon, Shulton, Max Factor, Helena Rubinstein, Élizabeth Arden allaient se montrer particulièrement actives. On ne se gênera pas pour acquérir des compagnies françaises. Pfizer se portera acquéreur de Coty ; Revlon, de Balmain et Raphaël ; Shulton, de Carven et Pierre Cardin ; Max Factor, de Jean d'Albret ; Charles of the Ritz, de Yves Saint-Laurent et Lanvin.

---

18. L'eau de Floride, une création américaine, est un mélange d'eau de Cologne et d'eau de lavande auquel on a ajouté du girofle, de la casse et du lemongrass.

En 1961, Norman Norell devient le premier couturier américain à lancer son parfum. Il le fera sous l'égide de Revlon. Les parfums américains ne se limiteront pas aux É.U., ils seront sur tous les marchés. Suprême soufflet, ils occuperont 30 % du marché français.

En 1980, Paris ne règne plus en despote éclairé du parfum. New York et Tokyo ont leur mot à dire. Le parfum est de plus en plus aux mains de multinationales comme L'Oréal, Revlon, Shiseido, Avon, Estée Lauder. Les couturiers ne font souvent que prêter leur nom. Au début des années 80, les Américains purent se frotter les mains. Le parfum le plus vendu dans le monde était Charlie, un produit de Revlon. Anaïs Anaïs, de Cacharel, devait rétablir les choses. Car les Français, après avoir étudié le marketing à l'américaine, allaient le servir nappé du prestige français. Ils allaient entamer la reconquête du marché. L'Oréal, une confédération de compagnies françaises réunissant Biotherm, Cacharel, Laroche, Lancôme et Vichy, allait marquer des points. Avec des ventes progressant de 15 % annuellement, L'Oréal allait doubler Revlon, le numéro deux mondial, puis rejoindre et dépasser Avon, l'ex-champion toutes catégories.

Les Français sont de retour. Ils rachètent aux Américains leurs marques. Yves Saint-Laurent, grâce au financier italien Benedetti, se porte acquéreur de Charles of the Ritz pour la coquette somme de 630 millions de dollars américains. Ce faisant, il récupère les parfums portant sa griffe. Balmain et Lanvin sont rachetés à leur tour aux Américains. Les Français ont compris la leçon et sont en train de battre les Américains à leur propre jeu. Le marché est de plus en plus compétitif. On se bat pour quelques pouces de comptoir. La vente des préparations alcooliques parfumées a tendance à stagner alors que les crèmes et les produits pour le bain assurent la progression des ventes.

L'alcool est-il en train de perdre sa prédominance comme support privilégié des odeurs en faveur des émulsions [19] ? Est-ce une mode passagère ou une évolution vers un marché stable ? L'avenir le dira.

Parallèlement, les hommes reviennent aux parfums. Ils ne se contentent plus d'une lotion après-rasage. Ils louchent vers les produits de soin du corps. La progression des ventes de produits masculins est une fois et demie plus rapide que celle des produits féminins. Longtemps confiné à des parfums de masse (English Leather, Old Spice), l'homme a maintenant droit aux parfums de prestige (Antaeus, Azzaro, Kouros, Jules, Armani, Eau Sauvage...). Les tabous victoriens tombent. Pour un homme, il devient de bon ton de se parfumer et de prendre soin de sa peau. Toutes les compagnies investissent dans ce marché prometteur. On s'empresse de sortir de nouveaux parfums pour hommes pour ne pas manquer le bateau. Les pertes peuvent être élevées, mais les gains espérés valent l'enjeu. Sur dix parfums lancés, un seul survivra plus de cinq ans.

Le jus

Ces grandes compagnies vendent le parfum, toutefois elles ne le créent plus [20]. Elles font affaire avec des entreprises spécialisées telles que Givaudan, Unilever, Firmenich, Roure Bertrand, International Fragrance and Flavor. Ces compagnies créent le jus, mais elles ne le commercialisent pas. Elles laissent ce soin à Dior, Yves Saint-Laurent, Estée Lauder. Elles savent que ce sont les marques qui font vendre. Lorsque

19. Une émulsion est un mélange d'eau et de matières grasses. Les crèmes et les lotions hydratantes sont des émulsions.

20. Pendant longtemps, seules des compagnies comme Guerlain, Chanel et Patou créaient leurs parfums. Les autres n'avaient même pas de parfumeur à leur service. L'engouement du public pour les « nez » a incité de nombreuses compagnies à avoir recours aux services d'un parfumeur.

vous achetez Cabochard, de Grès, Chloé, de Lagerfeld, Fidji, de Guy Laroche, Vanderbilt, de Vanderbilt, Polo et Lauren, de Ralph Lauren, Paris, de Yves Saint-Laurent, Youth Dew, d'Estée Lauder, vous achetez en fait un jus créé par International Fragrance and Flavor (IFF).

Le monde des odeurs est devenu fort complexe. Il ne s'agit plus de quelques centaines d'odeurs naturelles mais de milliers de subtances artificielles. La chimie a révolutionné les odeurs. Il ne s'écoule pas une journée sans la synthèse d'une nouvelle odeur. On a répertorié entre 25 000 et 30 000 molécules odorantes. La création d'un parfum est de moins en moins le travail d'un artiste, mais plutôt celui d'une équipe multidisciplinaire qui mêle art, science et psychologie. Des délais doivent être respectés. Et ces délais sont de plus en plus courts.

Que nous réserve demain ? L'hédonisme qui caractérise de plus en plus les sociétés industrielles fait entrevoir un avenir des plus parfumés. La naissance d'une clientèle avertie et amoureuse des odeurs devrait inciter les compagnies à réorienter leur stratégie. Depuis François Coty, on vend du prestige, du rêve, un beau flacon, un emballage superbe. Demain, il faudra aussi et surtout vendre le « jus ». Car après tout, n'est-il pas l'essence même du parfum ?

Mais de quoi est fait le « jus » ?

Chapitre 3
Les odeurs mises en bouteille

Les parfums trouvés dans la nature ont leurs propres supports. Ces supports sont d'origine végétale (fleurs, résines, fruits, mousses) ou animale (ambre, civette, castoreum, musc). Mais comment capturer ces parfums tout en se débarrassant de leur véhicule ? Les réponses varièrent selon les connaissances techniques acquises au cours de chaque époque.

Le feu et la fumée

Très tôt, les hommes avaient découvert que certaines substances résineuses (myrrhe, oliban) libéraient des odeurs en brûlant. D'ailleurs, le mot « parfum » tire sa racine du latin « per fumum » signifiant « par la fumée ». Le premier moyen trouvé par l'homme pour extraire une odeur fut donc le feu et le premier véhicule, la fumée. Ce moyen est toujours d'actualité. On trouve sur le marché des bâtonnets d'encens aux arômes divers : rose, lavande, fraise, etc.

L'expression

Le feu, s'il s'avère efficace pour les produits résineux, est de piètre utilité pour les odeurs de fruits et de fleurs. L'homme devait approfondir ses recherches. La première idée, et aussi la plus simple, consiste à presser le support végétal pour en tirer le jus. Cette méthode fonctionne à merveille avec les agrumes (hespéridés). Les oranges, citrons, pamplemousses et beaucoup d'autres fruits livrent ainsi leur parfum et leur saveur. L'expression possède cependant un champ d'action limité. Presser une fleur ne suffit pas pour en tirer le parfum. Encore une fois, l'homme dut réfléchir.

Digestion et enfleurage

Les graisses captent les odeurs. Laissez du beurre à découvert dans votre réfrigérateur et il aura tôt fait de s'imbiber des odeurs des autres aliments. La digestion et l'enfleurage reposent sur ce principe.

Digestion ou macération

On eut longtemps recours à des huiles chaudes dans lesquelles on plongeait les fleurs et les plantes. Lorsque l'huile avait capté le principe odorant des plantes, on retirait celles-ci et on les remplaçait par des plantes fraîches. On répétait maintes fois ce processus avant d'obtenir une huile saturée du parfum des plantes. Ces huiles non seulement avaient un pouvoir odorant, mais leur application sur la peau avait un effet hydratant. Après le bain, les Égyptiens se couvraient de ces huiles odorantes. À la température ambiante, ces huiles chaudes prenaient parfois l'aspect d'une pommade. Les Égyptiens avaient l'habitude de poser sur leur tête un morceau de pommade odorante. Tranquillement, sous l'action du soleil et de la chaleur corporelle, la graisse fondait et s'écoulait sur le corps. Les Égyptiens se retrouvaient parfumés de la tête aux pieds.

Les pommades et les huiles furent longtemps les véhicules privilégiés des parfums. L'alcool ne les a remplacées que tout dernièrement. Le processus de la digestion ou de la macération est coûteux et peu utilisé de nos jours.

Enfleurage

Similaire à la digestion, ce procédé nécessite cependant l'emploi de graisses froides et purifiées. Il s'applique aux fleurs qui ne peuvent résister à l'agression de la chaleur. La graisse est étendue sur des plateaux. On y dépose les fleurs. Lorsque la graisse a absorbé le parfum des fleurs (24 à 48 heures), on les retire afin de les remplacer par des fleurs fraîchement cueillies. On répète l'opération jusqu'à ce que la graisse soit saturée. Le résultat est invariablement une pommade.

En Inde, on procède depuis des siècles à un enfleurage sur graines de sésame. Une fois que les graines sont imbibées d'odeurs, on peut soit les presser pour en tirer une huile parfumée, soit les utiliser telles quelles.

On a aussi longtemps procédé à des enfleurages sur poudre. Cette technique n'est plus utilisée. L'enfleurage sur toile a, lui aussi, connu son heure de gloire. On imbibait d'huile une toile sur laquelle on déposait des fleurs. Lorsque l'huile était saturée d'odeurs, on pressait la toile pour en récupérer l'huile.

L'arrivée de l'alcool allait permettre de laver les pommades pour en retirer, une fois l'alcool évaporé, une huile parfumée.

L'enfleurage nécessite une forte main-d'œuvre. Le procédé s'avère très coûteux. De nos jours, l'enfleurage n'est presque plus utilisé. Il est devenu une curiosité. La maîtrise de ce procédé a toutefois fait la renommée de Grasse.

Diffusion et distillation

On se servait des huiles et des graisses comme véhicules des odeurs. On utilisait aussi le solvant universel qu'est l'eau. Dans une marmite pleine d'eau chaude, on plongeait les plantes odorantes. L'eau se chargeait peu à peu de leur odeur. Il suffit de songer au thé, au café et aux différentes tisanes pour se rendre compte que ce procédé est toujours d'actualité.

Soumise à la chaleur, l'eau finit par bouillir et la vapeur créée, vapeur très odorante, est perdue dans l'air. Afin d'éviter cette perte, on pensa à mettre un couvercle sur la marmite. La pression créée à l'intérieur de la marmite fit soit lever le couvercle, soit sauter la marmite. Il fallait trouver une autre solution.

On songea à transformer le couvercle en un tube par lequel la vapeur s'engouffrerait. Elle y serait refroidie et reprendrait sa forme liquide qui serait récupérée dans un autre récipient. Finies les pertes ! Et, plus important encore, la distillation était née. Elle devait révolutionner la parfumerie.

Le résultat de la distillation comprenait, ô surprise, deux phases : une phase aqueuse, que l'on garda, et une phase huileuse, que l'on rejeta. Une légende veut que ce ne soit qu'au XVIe siècle, lors d'une fête donnée par un riche calife au cours de laquelle l'eau de rose jaillissait des fontaines, que l'on remarqua, ô disgrâce, un résidu huileux sur l'eau. En voulant le retirer, on s'aperçut que cette huile possédait une puissante odeur de rose : les huiles essentielles étaient nées. Est-il utile de préciser que l'on ne jeta plus la phase huileuse provenant de la distillation ? Cette huile devint l'un des produits odoriférants les plus en vogue et elle l'est encore aujourd'hui.

La distillation allait aussi entraîner la découverte de l'alcool, un produit qui marquerait la parfumerie.

La distillation a évolué depuis 1800. La distillation à l'eau n'est plus utilisée. Elle agressait trop les plantes. Les distillations à la vapeur, sous vide, et moléculaire ont permis d'améliorer la qualité des huiles tout en augmentant le rendement.

Les huiles essentielles d'aujourd'hui ont une qualité que l'on n'obtenait guère jadis que par le coûteux procédé de l'enfleurage sur graisse. Et encore ! Les huiles obtenues par enfleurage conféraient aux parfums un relent de cierge qui caractérisa ces derniers jusqu'à la fin du XIXe siècle.

Extraction

De nos jours, c'est la méthode la plus utilisée pour capturer les parfums naturels. Elle doit son arrivée aux recherches des chimistes sur les constituants du pétrole. On découvrit des solvants neutres volatils tels l'éther de pétrole, le benzène, le toluène, l'acétone. On s'aperçut que ces solvants pouvaient capter les huiles naturelles des plantes sans l'apport de la chaleur. On pouvait traiter ainsi les plantes réfractaires à la chaleur (jasmin, tubéreuse). L'économie envisagée était énorme. Toute une technologie se développa autour de ces concepts. Grasse fut la première ville à s'y convertir vers la fin du XIXe siècle. L'extraction prenait le relais de l'enfleurage.

Les fleurs et les plantes sont soumises à froid à des solvants neutres volatils (éther de pétrole, benzène). Les solvants s'emparent des huiles des plantes. Le solvant est par la suite évaporé et il reste une substance cireuse très odorante que l'on appelle essence concrète. Puis, l'essence concrète est soumise à un autre solvant (alcool). Le résultat obtenu après l'élimination de ce deuxième solvant est une huile que l'on désigne comme étant une absolue. Si l'on applique ce procédé aux résines, on aboutit aux résinoïdes.

Avec les techniques modernes, l'extraction à l'aide de solvants est de plus en plus utilisée et son rendement est optimal. Cette technique a relégué l'enfleurage aux oubliettes.

Teinture alcoolique (diffusion dans l'alcool)

L'alcool entre en jeu pour extraire certains parfums animaux. On met la substance animale dans de l'alcool et on laisse reposer durant une période déterminée (peut-être plusieurs mois), ce qui permet à l'alcool de saisir les éléments odorants. Puis on filtre. On obtient une teinture alcoolique.

Les parfums naturels

Extraction, distillation et expression sont les trois principales méthodes pour capturer les parfums naturels. Chaque plante, chaque fleur, se trouve traitée selon la méthode qui lui est la plus appropriée. Ces diverses méthodes aboutissent à environ 140 produits naturels qui font le bonheur des parfumeurs et, parfois, leur malheur. Des facteurs climatiques, géographiques, politiques, économiques entravent souvent l'accès à ces produits.

Chapitre 4
Le marché des matières odoriférantes

L'évolution de ce marché fut influencée par les événements qui ont marqué l'Histoire : invasions, guerres, révolutions, découvertes géographiques, progrès scientifiques, culturels et économiques.

Les matières premières naturelles

Le royaume de la reine de Saba tirait ses revenus de la vente d'encens (frankincense) et de myrrhe à l'Égypte et aux nations environnantes. Malheureusement, les routes commerciales de l'époque étaient peu sûres et les caravanes enrichissaient plus les pillards que le royaume. Excédée par cette situation, la reine de Saba entreprit un long voyage auprès des rois voisins afin d'assurer la protection de « la route de l'encens ». La Bible nous relate sa visite à la cour de Salomon. Non seulement obtint-elle la protection militaire désirée, mais Salomon lui accorda aussi l'exclusivité de la vente d'encens en Israël.

À cette époque, les caravanes de produits odoriférants provenaient d'Arabie, de Chine et des Indes. Il devait en être ainsi jusqu'au début de la période coloniale (1492-1945).

À partir du XVIe, le Portugal, l'Espagne, l'Angleterre, les Pays-Bas et la France se lancent à la recherche de nouvelles terres en Asie, en Afrique, en Amérique et en Océanie. Grâce à l'esprit d'initiative des colons, les moyens de production et les sources d'approvisionnement se multiplient. Le XIXe siècle sera l'âge d'or du colonialisme. Une main-d'œuvre docile et bon marché permet d'exploiter les richesses en plantes aromatiques locales, de développer certaines cultures et de distiller sur place afin d'obtenir des huiles essentielles de bonne qualité et à bon prix.

Des événements politiques allaient faire chavirer tout ce petit monde. La révolution russe bouleversa le système des relations commerciales et économiques en Europe. Le marché russe se ferma. On ne put acheter de matières premières aux Russes ni leur en vendre.

La guerre de 1935 entre l'Italie et l'Éthiopie aboutit à des difficultés d'obtention de civette. En 1936, la guerre civile éclate en Espagne. Toutes les huiles essentielles produites en Espagne manqueront à l'appel. Pour combler cette perte, on développa des installations au Maroc. En 1939, la Deuxième Guerre mondiale allait rendre encore plus problématique l'obtention des matières premières. La fin de cette guerre allait entraîner la décolonisation. Un grand nombre de pays abandonnent la production d'huiles essentielles. Les productions qui subsistent n'offrent plus la qualité désirée. L'acheteur se retrouve souvent avec de la marchandise fraudée sans pouvoir récupérer les sommes déboursées.

Devant ces problèmes et le peu de confiance qu'inspirent les producteurs, certaines entreprises se voient obligées, pour satisfaire leur clientèle, d'acquérir une entreprise productrice. Les coûts grandissants reliés à la main-d'œuvre font que la distillation des plantes spontanées est abandonnée et remplacée par celle des plantes cultivées. L'apparition d'outillage mécanique rend l'industrie moins dépendante d'une main-d'œuvre de plus en plus coûteuse. Le temps où les paysans distillaient un peu d'huile essentielle qu'ils vendaient à des courtiers qui, eux-mêmes, les revendaient à des commerçants des villes qui, à leur tour, les revendaient à d'autres courtiers agissant comme exportateurs s'éteint rapidement et fait bientôt partie du folklore.

Le santal et le jasmin sont des exemples qui illustrent bien comment les matières premières subissent les aléas du marché.

L'huile essentielle du bois de Santal des Indes Orientales

Cette huile est obtenue par la distillation du bois et des racines de l'arbre Santalum album que l'on trouve dans les États Indiens de Mysore, Madras, Andhra Pradesh, à Kapur dans l'État de Utha Pradesh et dans l'île de Timor.

La qualité de l'essence dépend des procédés de distillation, de l'âge de l'arbre et de la nature du bois. Or, sous la pression démographique, les forêts dépérissent. Le manque de bois a entraîné une baisse de la production. La hausse des prix qui s'ensuivit fit fleurir le marché noir et la fraude. Devant un marché où le coût fait réfléchir et où la qualité est sujette à caution, beaucoup ont tendance à se tourner vers les huiles de Santal synthétiques qui peuvent rivaliser avec l'huile naturelle.

Le jasmin

La demande croissante qui a suivi les première et deuxième guerres mondiales a amené les entreprises grassoises à développer la culture du jasmin dans des pays où la main-d'œuvre était moins onéreuse.

Il y eut l'Espagne et l'Italie. Les guerres et le coût grandissant de la main-d'œuvre devaient restreindre cette culture dans ces deux pays. Les entreprises grassoises jetèrent alors leur dévolu sur l'Algérie et le Maroc. La guerre d'Algérie et la décolonisation engendrèrent la hausse des prix. La culture du jasmin se réfugia en Égypte et en Inde. La démographie galopante de ces pays et le besoin de terres arables pour l'agriculture risquent de faire tomber ces poches de résistance. Et puis, l'industrie chimique s'avère un concurrent de taille. Les parfumeurs se voient offrir des huiles synthétiques dont l'odeur ressemble de plus en plus à celle du jasmin naturel. Nombreux sont ceux qui succombent à la tentation. Les nouveaux parfums ne font guère appel au jasmin naturel.

On pourrait penser que la demande croissante de matières odoriférantes qui a suivi les première et deuxième guerres mondiales, alliée aux problèmes aigus d'approvisionnement, allait ouvrir la porte aux produits synthétiques. C'est faux. La porte était déjà largement ouverte.

Les produits synthétiques

Les produits synthétiques sont la base de la parfumerie moderne. Les grands parfums français de la fin du XIXe siècle et du début du XXe siècle doivent leur originalité à l'introduction de produits synthétiques dans leur composition.

Le premier produit synthétique odorant, la benzaldéhyde (amande amère synthétique), fut découvert en 1837, par Liebig. Puis vint l'acétate de benzyle (odeur fleurie) en 1855, la coumarine, en 1868, et la vanilline, en 1874. En 1882, le grand Paul Parquet, parfumeur chez Houbigant, créait une première en utilisant un produit synthétique, la coumarine, dans un parfum : Fougère royale. En 1889, Guerlain utilisait la vanilline dans Jicky. Le succès de ces deux parfums donna dès lors ses lettres de noblesse à l'industrie des odeurs synthétiques.

La coumarine et la vanilline ne sortaient pas de l'imaginaire. La coumarine est présente dans la fève de tonka et la vanilline, dans les gousses de vanille. Ces produits obtenus par synthèse se trouvaient dans la nature. Ils n'étaient pas artificiels. À cette époque, la chimie essayait de reproduire les molécules déjà existantes. Trouver la formule d'une molécule était en soi tout un exploit.

Les ionones

En 1893, Tiemann étudiait la racine de l'iris pour en extraire le parfum. Après avoir obtenu un produit peu odorant, il le fit réagir avec un acide. La molécule se cyclisa et, ô surprise, le résultat sentait la violette. L'ionone, une molécule artificielle, était née. Paul Parquet en tira un chef-d'œuvre, Le cœur de Jeannette. François Coty s'empara lui aussi de l'ionone et créa La Rose Jacqueminot. Roger et Gallet en firent la Vera Violetta, alors que Millot y allait de ses Violettes de Parme.

Les aldéhydes

L'aldéhyde d'hydroxycitronellal (1904), molécule artificielle ajoutant une note fleurie indéfinie, se retrouve dans Une rose de Guerlain(1908) et dans Quelques Fleurs, une création de Robert Bienaimé pour Houbigant, qui connut un succès foudroyant.

En 1921, Coco Chanel lance le N° 5. Cette création d'Ernest Beaux possède une tête aldéhydée très prononcée. Toute une famille de parfums allait en découler, la famille des fleuris aldéhydés. Après un début glorieux, mais dont le secret fut bien gardé, les produits synthétiques allaient continuer à alimenter la grande parfumerie, ainsi que la petite. Vous pensez bien que ce qui était bon pour la parfumerie de prestige l'était pour les détergents, les shampooings, les désodorisants, les savons, etc.

Les procédés modernes de synthèse

Les modes de synthèse se raffinent. On recherche des matières de base peu coûteuses et facilement accessibles. Au début la vanilline fut produite à partir de la coniférine. Son coût était élevé (1 800 $ le kilo). Puis on la synthétisa à partir de l'eugénol (un composant de l'huile de girofle). Son prix chuta. Après quoi, on la tira des résidus ligneux produits par l'industrie du papier. Le prix subit une nouvelle baisse (6,50 $ le kilo). Aujourd'hui, on peut l'obtenir à partir des phénols. Les prix ont chuté, la disponibilité a grandi, mais la qualité est demeurée la même. Un prix élevé n'est pas un synonyme de qualité.

Essence de térébenthine

Dès 1960, la poussée de la demande des matières odorantes rendit impossible les synthèses à partir des matières premières naturelles. La nature ne suffisait plus à la demande. On se tourna vers un mode de synthèse partant de l'essence de térébenthine.

L'essence de térébenthine provient des résines de certains pins et l'approvisionnement pose peu de problèmes. On l'obtient aussi à partir de la décomposition de la cellulose de bois traitée au sulfate. De l'essence de térébenthine, on peut faire dériver de nombreux produits aromatiques dont le citral, le menthol, les ionones, le linalol, le camphre, l'hydroxycitronellal, le géraniol, le nérol, etc.

Cependant, cette essence, fortement utilisée dans l'industrie des peintures, vernis et encres d'imprimerie, subit des variations régulières de prix. Sa disponibilité est par ailleurs reliée à l'exploitation forestière. À la limite, on risque de se trouver dans la même situation que pour d'autres produits d'origine naturelle.

L'acétylène et les dérivés du pétrole arrivèrent à la rescousse. Leur utilisation avait déjà révolutionné l'extraction des principes odorants des plantes, elle allait en faire de même pour la synthèse des molécules odorantes. L'eugénol qui provenait de l'huile de girofle nous est donné par les phénols. Le linalol venant du bois de rose est désormais produit à partir des terpènes. Le citral peut être synthétisé aussi bien à partir de l'essence de térébenthine qu'à partir de l'acétone.

Ces produits synthétiques qui ont réussi à se détacher de l'emprise des matières premières naturelles sont tombés sous la botte du pétrole. Les crises pétrolières de 1973 et de 1979 firent augmenter les coûts, mais pas suffisamment pour en revenir à une nature capricieuse. N'allez pas croire cependant que l'utilisation de ces composés organiques est une panacée alliant la diminution des coûts à un approvisionnement stable. Parfois, la certitude de pouvoir s'approvisionner a plus d'importance que les coûts. De plus, certains produits synthétiques, tel l'héliotropine, ne sont rentables que s'ils sont extraits de produits naturels. Le citral synthétique et le citral naturel se disputent le marché selon le cours de la matière première, la Litsea cubeba.

L'avenir n'en est pas moins à la recherche. La découverte de nouveaux modes de synthèse, de nouvelles molécules odoriférantes continuera d'enrichir la palette des parfumeurs. Les produits chimiques de luxe n'ont rien à envier à l'absolue de jasmin ou d'iris.

Synthétique c. naturel

Les produits synthétiques se nourrissent des substances naturelles qui, à leur tour, s'enrichissent des synthétiques. La parfumerie de prestige moderne n'existerait pas sans les uns et les autres. Lorsque Estée Lauder déclare dans son autobiographie [1] que ses parfums ne sont faits que de produits naturels, elle le fait pour profiter du prestige de la nature sur la chimie. Elle berne sciemment ses lecteurs. Les produits synthétiques sont présents dans tous les parfums. Que serait L'Air du Temps sans le salicylate de benzyl, Diorella et Eau sauvage sans le dihydrojasmonate de méthyle (hédione) et Cabochard sans la quinoline d'isobutyl ? Ils ne seraient pas les classiques qu'ils sont devenus, car ils doivent leur singularité à ces produits. Quant aux parfums de Mme Lauder, ils sont l'œuvre

---

1. LAUDER, Estée. *Estée*, New York, Ballantine Books, 1986, p. 120.

de International Fragrance and Flavor, le géant mondial des odeurs et des arômes. L'IFF et bien d'autres compagnies ont comme politique de livrer le produit (huile essentielle composée) à leurs clients et non la recette. Il ne serait pas surprenant que Mme Lauder ne connaisse pas la formule de ses parfums. Ce qui n'enlève rien à la qualité de ceux-ci.

Les produits synthétiques ne souffrent d'aucun complexe. Ils offrent plus de 6 000 produits à la palette des parfumeurs, alors que les produits naturels n'en procurent que 140. La pression démographique, les problèmes de suffisance alimentaire jouent en faveur des produits synthétiques. Ils ont marqué le siècle dernier. Ils sont indispensables au présent. L'avenir est à eux [2].

2. Le lecteur désireux d'en apprendre plus sur les matières premières trouvera en fin de volume une annexe sur le sujet.

Chapitre 5
Le parfumeur

Le spectre des odeurs se compose de plus de six mille produits odorants dont cent quarante d'origine naturelle. C'est à partir de ce clavier fort complexe que le parfum prendra forme. Véritable musicien des odeurs, le parfumeur alignera les notes parfumées, les combinera pour créer un parfum. Cet artiste de l'odorat est cependant méconnu. Qui est-il ? D'où vient-il ? En quoi consiste son travail ?

Une histoire de famille

Au début du siècle, être parfumeur n'avait pas la même signification qu'aujourd'hui. Le parfumeur était confronté à une centaine de produits naturels et la technologie se résumait à effectuer des infusions d'odeurs. On peut penser à François Coty, parfumeur et homme d'affaires, qui apprit son métier en quelques mois auprès d'une compagnie grassoise (probablement Chiris) et qui devait créer plusieurs chefs-d'œuvre (La Rose Jacqueminot, Origan, Jasmin de Corse [1], Chypre). Il n'existait pas d'école de parfumerie. La parfumerie était une chasse-gardée. On peut citer l'exemple de la famille Guerlain,

1. Ce parfum sera celui de l'écrivaine Colette.

parfumeurs de père en fils depuis cent cinquante ans : Pierre (Eau de Guerlain), Aimé (Jicky), Jacques (Heure Bleue, Shalimar), Jean-Paul (Chamade, Chant d'Arômes) ; la famille Robert, Henri (Muguet des Bois, Chanel N° 19) et son neveu Guy ; la famille Carles, Jean (Émir, Tabu), Marcel (Capricci) ; la famille Fraysse, André (Arpège, Scandal, My sin), Jacqueline (Cassandra), Claude, Hubert (Zibeline, Antilope)... Au Canada, nous retrouvons Jack Quigg et son fils Jeff.

L'apprenti parfumeur

Quoique cette notion de famille soit toujours importante, le milieu s'est passablement ouvert. Certains instituts privés donnent une formation préparant à la carrière de parfumeur. L'industrie demeure, malgré tout, la meilleure des écoles. Roure-Bertrand Dupont et Charabot et Cie ont ouvert des écoles à Grasse. Givaudan a fait de même à Genève. De grandes compagnies américaines offrent aussi des cours de formation. Les élèves viennent du monde entier. Ce sont normalement des apprentis parfumeurs travaillant déjà dans l'industrie. Les écoles de formation mises sur pied par les grandes compagnies sont très sélectives. On y est invité, on ne s'y inscrit pas. Ceux qui auront réussi à franchir les barrières de l'entrée devront être équipés d'un bon nez et de beaucoup de patience. La formation d'un parfumeur dure de trois à cinq longues années pendant lesquelles il apprend à éduquer son nez et sa mémoire olfactive. Un individu reconnaît normalement de cent à deux cents odeurs. Un parfumeur doit être en mesure d'en reconnaître plusieurs milliers. Certains parfumeurs discernent quatre à cinq mille odeurs. Cette performance ne tient pas du hasard ni d'un don. Pour y parvenir, l'apprenti parfumeur devra s'astreindre à des heures et des heures d'entraînement. Il aura recours à des méthodes mnémotechniques très efficaces ; il devra lier l'odeur à une émotion, à un sentiment, à un souvenir, à une forme, à un objet.

Une odeur a plusieurs paramètres : volatilité et ténacité, diffusion, radiance. Un produit synthétique peut posséder des impuretés qui affectent l'odeur. Le nez doit les détecter. Ce sont parfois ces impuretés qui donnent à un produit son cachet. L'apprenti parfumeur doit apprendre à reconnaître la note de tête, la note de cœur et la note de fond (caractère résiduel) d'un produit. Pour y parvenir, il aura de plus en plus besoin de connaître la chimie. L'étudiant devra se familiariser avec une pléiade de produits synthétiques : aldéhydes, esters, alcools, cétones. Il doit apprendre quel matériel est utilisé en grande quantité, quel matériel l'est avec parcimonie ; lequel est utilisé en solution, lequel en dilution. Le postulant devra consigner sous forme de dossiers tous les renseignements qu'il glanera sur les divers produits : nom chimique, nom commercial, type d'odeur, volatilité, intensité, pouvoir de diffusion, coût, comportement avec différents solvants, stabilité, compatibilité, impression personnelle. Le rôle du parfumeur ne s'arrête pas à être un athlète du nez, il doit aussi être en mesure d'élaborer des mélanges, d'obtenir des accords, de reproduire une odeur spécifique à partir d'une gamme d'odeurs. Il doit bien connaître les réactions chimiques entre les matières, être au fait des différentes incompatibilités tant avec les produits à parfumer (savon, détergent, plastique, textile...) qu'avec les emballages (verre, aluminium, carton...).

L'apprenti parfumeur apprendra son art en essayant, en se trompant et en persévérant. Au début, il effectuera des mélanges simples ne nécessitant que quatre à cinq matières premières. À partir d'une note principale, il construira un parfum bien équilibré auquel il pourra ajouter un ou deux produits aromatiques sans détruire le caractère de la composition. Puis il recommencera avec d'autres produits. Il vérifiera les résultats sur une mouillette et recommencera encore.

L'apprenti parfumeur ne peut se fier à sa seule mémoire ; il doit noter toutes ses expériences et s'y référer le cas échéant. Et ces notes doivent être détaillées ! Il ne doit pas se contenter de spécifier qu'il a utilisé 30 ml d'absolue de jasmin, il doit aussi noter les noms du terroir et du fournisseur, car les matières premières, même si elles portent le même nom, varient d'un fournisseur à l'autre, d'un pays à l'autre.

L'imitation

Un problème de composition que l'on soumet souvent aux élèves avancés est le développement d'un parfum de muguet. Le parfum de cette fleur ne s'est jamais laissé capturer. Il n'existe pas d'huile de muguet ou d'absolue de muguet. Un parfum de muguet ne se limite pas à copier l'arôme de la fleur : on doit y retrouver le printemps, la rosée, le sous-bois. L'apprenti parfumeur devra, à l'aide des différents produits qu'il a appris à connaître, recréer l'impression olfactive du muguet. S'il réussit ce test, il pourra s'attaquer aux grands classiques de la parfumerie. L'imitation d'un parfum connu (ex. : L'Air du Temps, de Nina Ricci) lui permettra de mettre à l'épreuve ses connaissances des matières premières, d'aiguiser ses capacités d'observation et son habileté à détecter les composantes d'un parfum [2]. L'imitation est le premier pas vers la création. L'apprenti parfumeur comparera son imitation avec l'original, notera les différences et recommencera pour la énième fois, chaque fois s'approchant ou, ô malheur, s'éloignant du but fixé. Cent fois, il devra remettre son œuvre sur la mouillette. On ne devient pas parfumeur seulement grâce aux livres. On le devient par la pratique.

Bien des parfums mis sur le marché sont des imitations d'un grand succès. Raffinée, de Houbigant, s'inspire de Oscar de la Renta. Parfois l'imitation a plus de popularité que son modèle. Les ventes d'Opium, de Yves Saint-Laurent, ont dépassé

---

2. Aujourd'hui des outils analytiques comme le chromatographe à phase gazeuse et le spectromètre de masse peuvent décomposer un parfum et en identifier la majorité des constituants. L'utilisation de ces appareils est fort utile pour étudier les huiles essentielles et permet de découvrir de nouvelles molécules odoriférantes. Ces appareils facilitent aussi le plagiat.

largement celles de Youth Dew, d'Estée Lauder. Une imitation ne se veut pas une copie conforme de l'original. Elle y ressemble beaucoup. Il existe aussi des parfums qui sont des variations d'un autre parfum. Ainsi, Fidgi, de Guy Laroche, est une variation de L'Air du Temps. On a réduit l'apport de clou de girofle que l'on retrouve dans L'Air du Temps pour le remplacer par l'hyacinthe.

Le clavier et l'orgue

N'allez pas croire que le parfumeur se familiarise avec les six mille produits odorants. Non, le parfumeur parvient à développer des préférences au sein des matières odorantes. Il réunira de quatre cents à mille produits formant un clavier qu'il maîtrisera bien. Ce clavier ne restera pas immuable. De nouvelles molécules sont découvertes chaque jour : le parfumeur doit les examiner, les évaluer et, s'il leur trouve une utilité, les inclure dans son clavier. Le clavier servira à définir le style, la facture du parfumeur. En musique, on peut deviner qui a composé telle symphonie ; de même en parfumerie peut-on reconnaître l'auteur d'un parfum.

Dans le passé, le parfumeur travaillait devant une série de petits flacons disposés en demi-cercle. La ressemblance avec un orgue était si frappante qu'on désigna par ce terme le pupitre de travail du parfumeur. Le terme est toujours d'actualité, même si le laboratoire moderne du parfumeur n'a plus rien d'un orgue.

La consécration

Après trois à cinq ans d'un long cheminement, l'apprenti parfumeur pourra accéder au titre envié de parfumeur. Il pourra devenir membre d'une association professionnelle (Société technique des parfumeurs de France, British Societies of Perfumers, American Societies of Perfumers), parfaire ses connaissances, et s'imposer à ses pairs, au cours de rencontres, de colloques et de conférences. Sa carrière consistera peut-être uniquement à vérifier la qualité des matières premières ou à parfumer les détergents, les tapis, les plastiques, les insecticides, les engrais chimiques. Il est possible qu'il n'ait jamais l'occasion de toucher à la parfumerie de prestige. Il fera carrière dans des entreprises comme IFF, Roure-Bertrand-Dupont, Firmenich, Givaudan, Unilever, Haarmann et Reimer, Takasago… Aidés par la chance ou le talent, certains toucheront le sommet de leur art et créeront des parfums pour la haute parfumerie. Ils se verront alors engagés par des fabricants de parfums ayant un ou plusieurs parfumeurs dans leur personnel (Guerlain, Chanel, Rochas, Patou) ou travailleront avec l'équipe de création d'une compagnie d'odeurs et d'arômes. Enfin, un parfumeur peut fonder sa propre compagnie.

Le parfumeur et ses créations

Le plus souvent, le parfumeur ou le maître-parfumeur [3] devra répondre à des demandes qui limiteront son art. « Nous voulons un parfum comme […] et nous ne voulons pas payer plus que […]. Nous voulons un parfum bon chic bon genre pour la jeune femme de vingt-cinq à trente-cinq ans, qui ne lit pas Paris-Match et qui ne va pas au Club Med. » Les parfums qu'il devra soumettre dans des délais très courts (quelques semaines) devront satisfaire les goûts du client. Car, il faut le souligner, le parfumeur crée selon le goût des autres, le goût de ceux qui vendent le parfum. Il produit sur commande. Il est devenu un outil qui doit réaliser l'idée d'un couturier ou d'un président de compagnie. Il est devenu un « nez ». Et si le parfum qu'il a créé est un succès, la gloire ne lui reviendra pas. Elle sera le lot de celui ou de celle qui aura « griffé » le parfum. On ne dit pas « Opium, de Jean-Louis Sieuzac, parfumeur chez Roure-Bertrand-Dupont » mais « Opium de Yves Saint-Laurent ». Le parfumeur doit s'effacer devant la machine à rêve et

3. Il en existe deux cents dans le monde.

à prestige qui vend les parfums. Ce rôle de second plan ne plaît guère aux artistes de la profession. Ils aimeraient que l'on reconnaisse leur mérite et qu'on cesse de les pointer du doigt comme des phénomènes de foire.

Depuis peu, l'industrie des parfums a reconnu la curiosité du public pour le parfumeur. Elle a aussitôt sorti des oubliettes quelques parfumeurs pour s'en servir comme éléments de promotion. Qui peut mieux parler d'un parfum que celui qui l'a créé ? Coco, de Chanel, mit en avant-scène son créateur, Jacques Polge. Nicolas Mamounas fut appelé à faire la promotion de Lumière, de Rochas. Le parfumeur vient de se découvrir un autre talent : les relations publiques ! Lui qui a toujours pourfendu le marketing en devient un élément important. La mode aidant, de nombreuses compagnies s'arrachent à prix d'or les services d'un parfumeur. Nous assistons à une réhabilitation du parfumeur et, pourtant, il se voit refusé par la justice le recours au droit d'auteur. Le parfum qu'il a créé et qui se vend à des milliers d'exemplaires n'est pas considéré au même titre qu'une œuvre littéraire ou musicale, mais plutôt comme un bien de consommation. Ce soufflet de la justice a rendu amers bien des parfumeurs et a suscité un courant existentialiste : qu'est-ce qu'un parfumeur ? Est-ce un artiste, un technicien, un scientifique ? Que lui réserve l'avenir ?

La profession peut s'interroger devant le peu d'espace que lui confèrent les compagnies vendant les parfums. Elle peut aussi se culpabiliser. Au début du siècle, les parfumeurs contrôlaient l'industrie, ils en étaient les généraux. Aujourd'hui, ils sont au service des fournisseurs. Les parfumeurs ont déserté le combat pour l'atmosphère douillette de leur laboratoire et la sécurité du salarié. Ils se sont tellement effacés devant la haute couture qu'ils sont généralement perçus comme des techniciens et non plus comme les artistes qu'ils disent ou souhaitent être. Il leur appartient de se refaire une place au soleil, de profiter de l'intérêt du public à leur endroit pour essayer de récupérer un marché qu'ils ont cédé contre un plat de lentilles. Il y a de plus en plus de jeunes parfumeurs qui offrent leurs créations au public. Ce mouvement semble insignifiant face à l'énorme machine qui régit la parfumerie. L'avenir nous dira si ce ne sont que des ronds dans l'eau ou le début d'un véritable renouveau qui rendra aux parfumeurs leur industrie et qui ouvrira la porte à des parfums tenant plus de la création artistique que des impératifs du marketing.

Chapitre 6
De l'idée à la vente

La conception de Poison, de Dior, a nécessité deux millions de dollars américains. Pour sa lancée, dix millions de dollars américains ont été investis en France, et huit millions aux États-Unis. La création de Panthère, de Cartier, a englouti trois millions. Sept millions furent nécessaires pour sa lancée en Europe. La parfumerie de prestige est avant tout une question de gros sous.

Voyons un peu les étapes que doit parcourir un parfum avant d'aboutir sur le comptoir d'un détaillant.

La nécessité

Le marché des parfums est très compétitif. Une compagnie qui veut assurer sa place sur le marché doit non seulement savoir promouvoir ses produits existants mais songer à en lancer de nouveaux. Un parfum sur dix survivra plus de cinq ans [1]. Le monde des parfums est en perpétuelle mutation.

---

1. Devant ces données, certaines compagnies lancent des parfums en planifiant une rentabilité à très court terme. Le prix de revient est abaissé au minimum afin d'assurer le succès financier d'un parfum dont l'espérance de vie est de deux ans.

nent d'un nouveau parfum n'est pas un geste gratuit de la création artistique. Il s'inscrit dans la volonté npagnie de marquer des points sur le marché des parfums. Une compagnie ne peut rester inactive face à la concurrence débridée qui frappe le milieu. Elle doit savoir se défendre et savoir attaquer.

Une fois que la décision de lancer un parfum a été prise, on doit créer ce parfum. C'est le rôle dévolu au marketing. Il existe plusieurs approches. L'approche méthodique consiste à procéder à des analyses statistiques du marché. Les analyses permettront de cerner une partie spécifique de la clientèle pour laquelle on cherchera à créer un parfum répondant à ses besoins.

Dans cette optique, le marché cible peut être la femme-cadre qui a entre trente et quarante-cinq ans et un revenu qui s'élève à 35 000 $ et plus par année ou l'adolescente de treize à seize ans qui reçoit 20 $ d'argent de poche par semaine. Le genre de cible aura une influence déterminante sur la conception du produit.

Une autre approche consiste à se fier au flair et à l'expérience. Lancer un parfum, c'est un peu comme chercher du pétrole : celui qui a le plus de chance de trouver une nappe est celui qui forera le plus de puits.

Vue sous cet angle, l'étude du marché peut se résumer à regarder où se situent les parfums qui ont le plus de succès et à forer à proximité de ceux-ci. Les analyses et le flair vont souvent de pair. Nous étudierons la conception d'un classique de la parfumerie : Opium, de Yves Saint-Laurent.

L'idée

Les parfums Yves Saint-Laurent ont appartenu de 1962 à 1986 à la compagnie américaine Charles of the Ritz, filiale du géant pharmaceutique Squibb. En 1986, Yves Saint-Laurent International acheta Charles of the Ritz pour la somme de 630 millions de dollars américains. Il le fit pour récupérer sa griffe. Des compagnies comme Avon, Gillette et Shiseido étaient aussi en lice pour acheter Charles of the Ritz. L'origine de cette compagnie remonte à 1919. À cette époque, Charles Jundt tenait une boutique de luxe à l'hôtel Ritz Carlton à New York. Cette petite boutique se transforma en un géant du cosmétique. Au début des années 1960, Charles of the Ritz acquit la griffe d'un jeune couturier français qui venait d'ouvrir sa propre maison à Paris : Yves Saint-Laurent.

Les parfums lancés sous la griffe de ce couturier seront Y (1964), Rive Gauche (1971), YSL (1971), Opium (1977), Kouros (1981) et Paris (1983).

Vers la fin de 1974, Loïc Delteil, directeur général des Parfums Yves Saint-Laurent en France, rencontra Yves Saint-Laurent. On désirait lancer un nouveau parfum féminin.

> *— Il me faut une idée, dit Delteil. À quoi ressembleront vos créations dans trois ans ?*
>
> *— Mes créations auront une influence orientale très marquée, avec de l'or, du rouge et du violet.*

Delteil avait son idée. Il ne lui restait qu'à la développer.

La conception

Tout d'abord, nous savons que le jus doit être oriental. L'emballage et le flacon devront exhiber les couleurs or, rouge et violet. Quel marché peut-on viser avec un parfum oriental ? Sûrement pas les Japonais : ils apprécient les parfums doux et fleuris. Ni les adolescentes : elles s'orientent elles aussi vers les odeurs légères et fleuries. Les parfums orientaux, aux effluves lourdes et capiteuses, plaisent aux femmes mûres. Ils sont très populaires aux É.U. où l'on apprécie tout particulièrement les parfums qui ont de l'éclat [2].

La conception d'un parfum est un travail d'équipe. Le jus, le flacon et l'emballage, le message publicitaire sont conçus simultanément. À partir de l'idée soumise par Yves Saint-Laurent, Delteil organisa une réunion où fut présenté le projet en bref. Après quoi, parfumeurs, designers du flacon et de l'emballage, publicitaires partirent chacun de leur côté pour traduire l'idée qu'on leur avait exposée.

Le jus

Delteil demanda à douze compagnies d'odeurs et d'arômes de soumettre des échantillons de parfum représentant l'idée de Yves Saint-Laurent. Trois cents échantillons lui seront soumis. Delteil en gardera trente, leur fera subir des tests d'appréciation auprès du marché cible. Trois y survivront et seront testés en Europe et aux É.U. Le parfum qui sortira vainqueur de toutes ces épreuves sera une création de Jean-Louis Sieuzac, un parfumeur-compositeur travaillant pour Roure-Bertrand-Dupont, une filiale de Hoffmann-La Roche.

Le nom

Combien de parfums ont périclité parce qu'ils ont porté un nom inadéquat ? Ils sont légion. De 1900 à nos jours, les noms des parfums ont subi une profonde mutation. Les premiers parfums portaient des noms qui se voulaient descriptifs de

---

2. Pour plusieurs, Opium convoitait sciemment le type de clientèle de Youth Dew, d'Estée Lauder. Pour eux, Opium est un parfum hybride : un jus tenace à l'américaine servi avec le prestige français.

l'odeur proposée : La fougère royale, Le trèfle incarnat, Jasmin de Corse, Violette de Parme, Cuir de Russie.

Plusieurs mots composaient le nom. La phrase descriptive allait par la suite évoquer des promesses amoureuses en utilisant parfois des formules naïves : Pour être aimée, N'aimez que moi. À défaut de l'amour, on parle de plaisir (Joy), ou d'un moment privilégié (Sourire d'avril, Étoile de Noël, Après l'ondée, Moment suprême). Le nom du parfum allait peu à peu se détacher du contenu du flacon pour évoquer des situations, pour créer une atmosphère chargée de rêves, d'émotions et de romantisme : Dans la nuit, Soir de Paris, Carnet de bal, Secret de Vénus, Émir, Dandy, Je reviens. Le nom du parfum s'est mis au diapason de l'industrie : on ne vend plus une odeur, on vend du rêve. Et quelle femme n'a pas rêvé d'une vie moins sage, plus audacieuse : My sin, Scandal, Shocking, Bandit, Filou, L'interdit, Vacarme.

Si le parfum véhicule le rêve, il vise aussi un marché. Le nom qu'on lui donne doit être compris par une clientèle qui ne parle pas nécessairement français. Aussi se met-on à rechercher des noms simples, très courts qui peuvent être compris dans plusieurs langues, surtout en anglais. C'est l'apparition des noms exotiques : Ho Hang, Yendi, Cialenga, Sikkim, Xanadu. Le nom du parfum perd son rôle évocateur. Il se détache de tout. Il devient si abstrait que l'on décide de lui donner le nom de celui ou de celle qui l'a conçu : Y, de Yves Saint-Laurent, Miss Dior, Dior-Dior, Charlie [3], Lauren, Mlle Ricci, Calvin Klein, Jean-Louis Scherrer, Giani Versace, Ungaro, Azzaro, Oscar de la Renta, Alfred Sung, Coco, Nina, Sophia, Via Lanvin, Weil, Givenchy III. La griffe du couturier devient le nom du parfum. Ceci est particulièrement vrai dans le cas des parfums masculins : YSL, de Yves Saint-Laurent, Chanel pour monsieur, Azzaro pour homme, Lanvin pour homme, Carrington, Stetson, Hermès, Armani pour homme, Signoric-

3. Le fondateur de Revlon s'appelait Charles Revson.

ci, Halston, Grès monsieur, Jacomo, Paco Rabanne pour homme, Monsieur Houbigant, Weil pour homme, Giorgio for men. Certains voient là un manque d'imagination. Pour d'autres, cela exprime bien la dépendance du parfum face au prestige de la griffe ou de la marque.

Aujourd'hui, les principales tendances sont celles de la griffe, des noms abstraits et courts aux sons exotiques, et aux noms évocateurs que l'on peut utiliser aussi bien en français qu'en anglais.

Opium

Opium fut une trouvaille de génie. Le vocable est court, se prononce aisément et est compris dans plusieurs langues. Il possède une connotation historique très orientale. De surcroît, ce nom frise l'interdit, le tabou. Il soulève l'intérêt et peut même choquer. Charles of the Ritz songea à lancer ce parfum sur le marché américain sous une autre appellation afin de ne pas irriter la puissante communauté sino-américaine. Heureusement, Yves Saint-Laurent s'y opposa farouchement. Rien ne sert mieux le marché qu'un nom à saveur de scandale.

Le flacon

Les parfums connurent les amphores d'argile, les contenants d'albâtre, de jade, d'ivoire, de porcelaine, de métal. Mais de tout temps, le verre demeura son réceptacle privilégié. Le verre doit sa suprématie à ses nombreuses qualités :

a) Il se travaille bien.

b) Il est imperméable aux odeurs.

c) Il ne réagit pas chimiquement aux constituants organiques des parfums.

d) Sa transparence nous permet d'admirer le jus.

e) Le verre est à la fois décoratif, fragile et lourd. L'impression de fragilité associée à son poids nécessite une manipulation délicate qui souligne bien le raffinement et la valeur des parfums.

À la fin du XIXe siècle, les flacons destinés aux parfums avaient surtout la forme traditionnelle des fioles réservées aux produits pharmaceutiques. Ce fut François Coty qui le premier sut se servir du flacon comme d'un élément de vente. Il s'entoura d'artistes pour créer des flacons dont la pureté en faisaient de véritables œuvres d'art. Le succès de Coty fut si grand qu'on se pressa de l'imiter. On aboutit vite à des flacons aux fioritures diverses et au moulage compliqué. À force de chercher l'originalité, on vint à fabriquer de véritables bibelots de style rococo. La cliente ne savait plus si elle payait pour le flacon ou son contenu. Gabrielle Chanel, avec la bouteille très classique de son N° 5, remit la simplicité et la pureté des lignes à l'honneur. Pendant quelque temps, les autres parfumeurs l'imitèrent. Sur ce fond de classicisme, l'imagination, la fantaisie et le romantisme réapparurent. Il suffit de penser aux colombes de L'Air du Temps, de Nina Ricci (1947).

Aujourd'hui, on adopte le linéaire, le dépouillé. Comme le vêtement, le flacon s'inspire parfois du passé. Chloé, de Lagerfeld (1975), est une copie d'un flacon ancien de Lalique. La technologie moderne permet maintenant de marier le verre avec le plastique et le métal. La technologie rejoint de plus en plus l'imagination des designers.

L'inro japonais

Pendant que les parfumeurs se démenaient pour créer le jus, des designers en parfumerie se penchaient sur le flacon. L'idée de départ s'était enrichie d'un nom : « Opium », et d'un désir de Yves Saint-Laurent : il voulait quelque chose de très original !

Pierre Dinand [4], l'un des chefs de file du design en parfumerie, s'attela à la tâche. Il s'inspira des inro [5] pour créer un flacon alliant le verre et le plastique. C'était innovateur et très audacieux. Jusqu'alors, le verre était le seul matériel utilisé pour concevoir les flacons. On considérait le plastique comme une matière dépourvue de classe. Il était incompatible à la fois avec le produit et l'image de prestige de la parfumerie. Le flacon d'Opium ne plut pas à tout le monde. Le président de Charles of the Ritz à New York résuma fort bien ce que beaucoup de gens pensaient : « ... a plastic junk ! ». Le graphisme de l'emballage fut aussi l'œuvre de Pierre Dinand.

Nous avions le jus, le flacon, l'emballage. Il restait à concevoir les messages publicitaires, à fabriquer le produit et à le lancer.

Publicité et communication

Par son nom, son jus, son emballage, Opium dégage une forte personnalité. Le message publicitaire doit exprimer cette personnalité et atteindre la clientèle. L'outil privilégié de la publicité des parfums est l'affiche que l'on insère dans les revues de mode et de beauté. Cette affiche doit être une émanation du parfum. Ainsi, une des affiches conçue pour Opium représentait en avant-plan un flacon du parfum sur une table de chevet. En arrière-plan, une femme séductrice et lascive, vêtue d'une robe dorée, se trouvait assise de côté sur un lit. Les couleurs employées étaient chaudes et sombres. Au bas de l'affiche était écrit en blanc sur fond noir, « Parfum Yves Saint-Laurent », et en haut, « Opium, pour celles qui

4. On lui doit les flacons d'Opium, de Paco Rabanne, de Calandre, de Missoni, d'Azzaro, de Magie Noire, de Xeyrus, d'Armani, d'Ivoire, d'Ysatis, de Drakkar Noir, de Nino Cerruti, de Y, etc.

5. Les inro étaient des étuis plats constitués de petits compartiments qui coulissaient sur un cordon de soie. Chaque compartiment contenait des drogues ou des médicaments.

s'adonnent à Yves Saint-Laurent ». La seule vue de cette affiche nous apprenait qu'Opium n'était pas un parfum fleuri ou verduré, mais un capiteux parfum oriental qu'un homme de goût avait créé pour une femme de goût.

Lors du lancement d'un parfum, l'affiche est souvent accompagnée d'un échantillon de parfum encapsulé. Le parfum se trouve emprisonné dans des milliers de microcapsules que l'on fixe sur un papier. Il suffit de gratter le papier pour briser les capsules et libérer le parfum. La sensation olfactive s'ajoute ainsi au texte et à l'image.

La publicité peut aussi emprunter des voies plus spécifiques. En lançant son produit, le fabricant est en droit d'en accorder l'exclusivité pour une période donnée à certains détaillants. En retour, ces détaillants lui accordent un grand espace et moussent les ventes auprès de leur clientèle. Fabricants et détaillants collaborent en vue de créer l'événement. Par la voie du courrier, une publicité visuelle, textuelle et olfactive est adressée à la clientèle des détaillants. Des encarts publicitaires apparaissent dans les journaux à grand tirage. Rien n'est négligé pour assurer le succès des ventes. Le détaillant a tout à gagner en collaborant avec le fabricant ; 40 % du prix de vente lui revient.

Le succès du lancement d'un parfum permet au fabricant d'augmenter graduellement le nombre de portes [6]. S'il est facile pour une compagnie établie de trouver des détaillants désireux de vendre ses produits, il en est tout autrement pour une nouvelle venue sur le marché. Cette nouvelle compagnie devra jouer des coudes, faire preuve d'imagination et de persévérance. C'est pourquoi la publicité ne vise pas seulement la clientèle. Elle vise aussi les détaillants et les ven-

---

6. Terme utilisé dans l'industrie pour désigner les points de vente. Il faut noter que de nombreux fabricants limitent le nombre de points de vente afin de créer une impression de rareté qui ajoute au prestige de la marque.

deuses. Le point stratégique de la vente des parfums demeure le comptoir des grands magasins et des détaillants. Le matériel publicitaire sert beaucoup à informer les vendeurs et les vendeuses sur les caractéristiques du parfum afin qu'ils puissent les communiquer à la clientèle. Des présentoirs sont conçus pour attirer le regard. Des représentants des diverses parfumeries patrouillent les magasins pour informer, prendre les commandes et s'assurer que les comptoirs font honneur à leur produit. La collaboration des détaillants et des vendeuses leur est indispensable. À quoi sert un battage publicitaire bien orchestré auprès de la clientèle si celle-ci, une fois devant le comptoir, se voit suggérer un autre parfum par la vendeuse ?

Opium fut lancé en 1977 en France, et en 1978 aux États-Unis. Dans chaque pays, en plus du lancement national à Paris et à New York, il y eut des lancements régionaux auxquels on invitait des gens de la presse, des personnalités et des détaillants. On leur présentait le parfum, on leur remettait de la documentation. À New York, Opium fut lancé simultanément chez Saks et chez Bloomingdale [7]. Opium profita de l'intérêt du public pour le nom, l'emballage et le jus. La publicité n'eut pas à créer l'événement, elle n'eut qu'à se laisser porter par le produit. Des réactions hostiles de la communauté sino-américaine provoquèrent un remous publicitaire sans précédent. Un représentant de la communauté chinoise se plaignit que l'on fît allusion à une drogue qui avait causé tant de mal à la Chine et affirma que cela était aussi offensant à l'égard des Chinois que l'aurait été pour les Juifs un parfum qui se serait appelé « Holocauste ». Un centre de réhabilitation pour drogués, la Phœnix House, s'éleva contre l'emploi de ce nom honni. Toujours aux États-Unis, la bataille qui s'engagea entre Opium et Cinnabar, d'Estée Lauder, aviva l'intérêt de la clientèle. En Australie, on refusa d'importer Opium en prétextant que le nom ne représentait pas le produit.

---

7. Deux magasins à rayons parmi les plus prestigieux au monde.

Le résultat d'un tel remue-ménage ne se fit pas attendre. Opium se vendit comme des petits pains chauds. On dut multiplier par quatre le nombre de ventes prévues. Opium sut attirer la clientèle. Il sut aussi la garder. Après dix ans, il demeure un des parfums les plus vendus dans le monde. Opium fut un succès extraordinaire. Des compagnies analysèrent les causes d'une telle réussite afin de pouvoir s'en inspirer. Haschish, de Veejaga (1983), ne fit guère de vagues. Poison, de Dior, par son nom, par la couleur peu orthodoxe de son jus, et par sa fragrance étonnante joue à l'extrême la carte « Opium ». Poison ne laisse pas indifférent. Il suscite les commentaires. Comment une femme qui reçoit « Poison » en cadeau doit-elle interpréter le geste ? On se perd en conjectures. Voilà un parfum que l'on peut offrir aussi bien à l'être aimé qu'à ceux que l'on déteste. Poison a remporté un succès étonnant qui a démenti les opinions de nombreux parfumeurs qui trouvaient l'odeur trop caractéristique et marquée. Pour eux, le jus de Poison frisait la vulgarité. Le foudroyant succès de Poison est venu empoisonner l'existence de nombreux parfumeurs.

Le conditionnement

Ces produits que l'on conçoit et que l'on vend, il faut aussi les fabriquer. C'est la tâche du conditionnement.

La parfumerie de prestige, par la grande qualité et l'originalité de l'emballage et du flaconnage, pousse les industries du cartonnage et du flaconnage à réaliser l'impossible à un prix très bas. Le flacon Opium eut été irréalisable il y a vingt ans. Les changements technologiques, l'imagination des ingénieurs ont permis d'allier le plastique et le verre. L'avancement de la technologie permet aux designers de concevoir des bouteilles auxquelles ils ne rêvaient même pas il y a dix ans.

Le cartonnage suit le même mouvement. On peut désormais effectuer certaines opérations sous vide, sécher les encres à l'ultra-violet, marquer à chaud, employer le laser. Et on doit effectuer toutes ces opérations en visant des coûts dérisoires.

Lorsqu'on a en main le flacon, l'emballage et le jus, il faut pouvoir concilier ces éléments, c'est-à-dire les conditionner. Ces opérations peuvent être faites dans des usines appartenant à la compagnie qui commercialise le parfum ou on peut avoir recours aux services d'un façonnier [8]. Ici aussi, la qualité et les coûts sont très importants. Une machinerie très sophistiquée a été mise au point pour fournir aux demandes des parfumeries. Certaines formes de bouteilles sont de véritables casse-tête pour ceux qui doivent y introduire le jus à un coût raisonnable. Parfois, les responsables du conditionnement doivent faire preuve de plus d'imagination que le designer qui a conçu le flacon.

Ne croyez surtout pas que chaque bouteille est remplie à la main et avec amour par une jeune fille qui y met toute son attention et son savoir-faire. Les longues chaînes de production où l'on travaille fébrilement dans le bruit de la mécanique et des bouteilles qui s'entrechoquent n'ont guère de points en commun avec le rêve qu'elles embouteillent. Charles Revson, le fondateur de Revlon, disait : « Au magasin, nous vendons du rêve. À l'usine, nous fabriquons un produit. » Ces usines, où tout est étudié et pensé pour augmenter la productivité, rappellent brutalement que l'industrie des parfums et des cosmétiques est avant tout un business. La vue d'un réservoir en acier inoxydable qui renferme quatre mille litres d'eau de parfum, celle d'une embouteilleuse qui remplit cent bouteilles à la minute, démontrent que, même dans le monde de la parfumerie, l'artisanat a fait place à la technologie moderne.

8. Un façonnier est un contracteur qui se spécialise dans le conditionnement des produits de parfumerie. Un façonnier peut conditionner des produits concurrents. Ainsi, une compagnie qui vend des parfums peut recourir à des sous-traitants pour concevoir le jus, le flacon, l'emballage, la publicité et pour assembler le produit final. Son seul véritable souci est de vendre le produit.

Les promotions

Une fois les produits emballés, ils prennent le chemin des distributeurs ou des détaillants. Dans les magasins, il existe une véritable guerre des rayons. Tous les produits réclament de l'espace. Souvent une ligne de produits dispose d'un espace proportionnel à son chiffre de vente. Le lancement d'un nouveau parfum permet d'accaparer un espace plus longtemps, ou non, selon les ventes obtenues. L'arrivée d'un nouveau parfum restreint l'espace dévolu aux plus anciens et ce, jusqu'à la disparition des parfums les moins performants. Cette lutte pour la survie a entraîné, surtout en Amérique, l'apparition des promotions. En gros, il en existe deux types.

A- Spéciaux avec achat
Si vous achetez 15 $ de produits d'une certaine ligne, vous pouvez vous procurer pour une somme additionnelle de 10 $ un ensemble en valant 60 $.

B- Cadeau avec achat
Si vous achetez 15 $ de produits d'une certaine ligne, vous recevez gratuitement 90 $ de produits.

Aux États-Unis, c'est sur ce genre de promotions qu'Estée Lauder a bâti son empire. Bien des compagnies américaines n'ont pu faire autrement que de suivre son exemple. Et ce fut l'escalade des promotions ! À défaut de donner des produits parfumés, on offre des sacs, des serviettes, des chandails. La clientèle se demande parfois comment les fabricants peuvent se montrer si généreux. Comment peut-on donner des produits valant 90 $ en échange d'un maigre 15 $? On s'est interrogé sur la valeur réelle de ces produits. En conséquence, beaucoup de produits ne se vendent aujourd'hui que par le biais des promotions. La vente des articles à prix régulier est devenue difficile, voire impossible. L'industrie se lamente, prise dans un piège dont elle ne sait comment sortir.

La plupart des parfumeries françaises se méfient à juste titre des promotions. Elles ont vu comment cette arme pouvait se retourner contre elles. Ces compagnies tiennent à préserver leur atout le plus précieux : leur prestige. Les impératifs du marché, les attentes de la clientèle et les pressions des détaillants, les entraînent parfois à se laisser prendre à ce jeu. Bien utilisées, les promotions demeurent cependant un outil très efficace pour faire connaître un produit. Estée Lauder pourrait nous en dire long sur le sujet. Né au début des années quarante, son empire a connu en 1986 des ventes annuelles de 1,1 milliard de dollars américains.

Noël, la Saint-Valentin, la fête des mères, la fête des pères

Les parfums s'offrent bien en cadeau. Plusieurs maisons réalisent 50 % et plus de leur chiffre d'affaires durant la période précédant Noël. Pour attirer la clientèle, on a créé l'ensemble-cadeau. On présente dans une jolie boîte de carton deux ou trois articles : eau de toilette, savon, poudre, lotion. Le plus souvent, une fenêtre en cellophane permet à l'acheteur d'admirer le contenu. Cette fenêtre ne protège pas les parfums contre les effets néfastes de la lumière, mais qu'importe ! Attirer la clientèle est parfois plus important que préserver les produits. Les maisons les plus actives sur le marché des ensembles-cadeaux sont majoritairement américaines : Coty, Fabergé, Houbigant, Charles of the Ritz, Revlon. Les compagnies qui cultivent un prestige à la française hésitent à s'y introduire. L'attrait du marché et la demande les y poussent peu à peu. Là aussi, elles choisissent l'ensemble-cadeau de prestige. Non seulement l'emballage est-il plus soigné, mais on n'a pas retenu l'idée de la fenêtre en cellophane.

On s'imagine aisément les sommes d'énergies dépensées par le service du marketing pour mettre sur le marché l'ensemble le plus apte à répondre aux besoins de l'acheteur. Doit-on unir l'eau de toilette à un savon ou à une poudre ? À moins d'opter pour la lotion hydratante ? Les combinaisons abondent : certaines font intervenir jusqu'à cinq produits. Désireuses de se distinguer, des compagnies ajoutent une étiquette un peu criarde qui clame que tel ensemble d'une valeur de 28 $ est offert à 18 $. Quelle aubaine ! Toutes les stratégies sont bonnes pour attirer la clientèle. Des fabricants n'hésitent pas à rayer l'idée du prestige pour s'assurer des ventes rapides. Plus tard, ils se plaindront mais, à court terme, ils réaliseront les ventes prévues.

Les autres périodes de l'année où les parfums sont à l'honneur sont la Saint-Valentin, la Fête des mères et la Fête des pères. Chacune de ces occasions donne lieu à des promotions spécifiques. La vente au détail des parfums est une lutte sans merci et, le cas échéant, on ne se gêne pas pour employer la stratégie d'un concurrent. Dans ce climat de compétition, la réussite de Lise Watier sur le marché canadien est des plus remarquables.

Haute parfumerie ou haute finance

Nous assistons, depuis 1986, à une danse folle de ventes, d'acquisitions, de restructurations dans l'industrie mondiale de la parfumerie cosmétique.

Malgré l'affichage d'un même nom, les maisons de couture et de parfum appartiennent souvent à des intérêts financiers différents. Une réconciliation est en cours. Zanimob, une compagnie canadienne qui possède Balmain Couture, a racheté les Parfums Balmain à Copeba, qui les avait acquis de Revlon un an plus tôt. Paco Rabanne Couture est acheté par le groupe espagnol Puig qui possède déjà les parfums Paco Rabanne. Yves Saint-Laurent Couture rachète Charles of the Ritz, propriétaire des parfums YSL, au groupe pharmaceutique américain Squibb. De cette acquisition, Yves Saint-Laurent ne garde que les marques de haute gamme (Yves Saint-Laurent et Versace) et revend les marques de grande diffusion à Revlon, qui abandonne aussitôt « Bain de Soleil » au profit de Richardson et Vicks. Le couturier italien Versace rachète sa marque. Cette réunion de la parfumerie et de la haute couture permettra de construire une politique de marketing plus cohérente autour d'un même nom. L'exemple et le succès de Chanel (propriété à 99 % de Pamerco, un groupe financier suisse) ne sont pas étrangers à ces bouleversements.

On remarque aussi un désintéressement de l'industrie pharmaceutique à l'endroit des parfums et des cosmétiques. Cora Révillon rachète les Parfums Caron à la firme pharmaceutique américaine A.H. Robins. Roussel Uclaf laisse aller Rochas à Wella. Hoechst cède Balenciaga à Bogart. Éli Lilly met Élizabeth Arden en vente. Christian Dior (groupe Moët Hennesy), Avon, Shiseido et Fabergé se montrent aussitôt intéressés. Fabergé sortira vainqueur et se retrouvera propriétaire de la griffe de Karl Lagerfeld (KL, Chloé...). Rhône Poulenc songe à se défaire d'Isabelle Lancray. Seul SANOFI (chimie et pharmacie) nage à contre-courant en s'implantant davantage dans le secteur. Forte de Yves Rocher, de Van Cleef et Arpels, de Molyneux, de Roger et Gallet et de Stendhal, elle s'assure la distribution des parfums italiens Krizia et rachète à American Cyanamid les cosmétiques La Prairie, ainsi que Jacqueline Cochram, distributeur des Parfums Nina Ricci aux É.U. SANOFI accapare du même coup l'exploitation de Geoffrey Beene et de Niki de Saint Phalle. SANOFI ne s'arrête pas en si bon chemin. Elle achète les parfums Fendi et Krizia (K, Uomo, Teatra alla Scala). Le géant L'Oréal ne reste pas inactif ; il se porte acquéreur de Héléna Rubinstein et se propose d'en redorer l'image.

On vise de plus en plus les produits de haute gamme. On se désintéresse des produits de grande diffusion. Avon achète Giorgio et les parfums Stern (Oscar de la Renta, Valentino, Perry Ellis) dans l'effort de percer ce marché.

Les contrefaçons

Les millions que génère l'industrie font des envieux. Chacun veut une part du gâteau. Et comment se l'accaparer sans avoir besoin d'investir dans la recherche, le développement et la publicité ? Mais, en copiant !

Les analogies

Dans certains pays du sud-est asiatique, on ne se gêne pas pour mettre en vente des parfums analogues aux plus populaires. Non seulement on ne se gêne pas mais on en est fier. On ne compte plus les répliques d'Anaïs Anaïs, de Cacharel. L'analogie est une reproduction parfaite : emballage, bouteille, tout est identique. Même le jus trompe la clientèle. Les maisons de parfums voient ainsi tous les efforts de la mise en marché récupérés par des promoteurs peu scrupuleux. Le même phénomène se produit dans les pays arabes. Et la justice, direz-vous ! La justice coûte très cher et les lois de ces pays ne protègent pas nécessairement les marques. À Taïwan, la copie est devenu un sport national. IBM, le géant des ordinateurs, l'a appris aux dépens de son micro-ordinateur IBM-PC. Dans les pays arabes, les lois protègent souvent les marques, mais le principe de la liberté du commerce contenu dans le Coran rend ces lois inapplicables.

Comment les maisons de parfums peuvent-elles se protéger contre ce phénomène ? En réaction à ces pratiques, elles se servent de la technologie pour rendre le flacon et l'emballage inimitables, ou si dispendieux à imiter que le jeu n'en vaut pas la chandelle. À bien des égards, le flacon n'est pas seulement une œuvre d'art. Il est aussi conçu pour décourager les analogies. On comprend que la mise au point d'un parfum puisse coûter des millions de dollars.

Les imitations du jus

Dans les pays où la loi punit sévèrement les faussaires, ceux-ci se contentent d'imiter le jus. Car, s'il est possible de faire breveter un flacon, un emballage, un nom, il l'est beaucoup moins dans le cas d'un jus. Pour breveter un jus, il faudrait en déclarer la formule et l'industrie s'y oppose vigoureusement. Ne serait-ce pas donner plus de latitude aux imitateurs qui pourraient, en modifiant un seul élément de la formule, se mettre à l'abri des poursuites ? Et puis, ce faisant, l'industrie susciterait la critique. On s'apercevrait que tel jus, très dispendieux au comptoir, a un prix de revient ridiculement bas. **Comment la cliente réagirait-elle en apprenant que le jus vaut parfois moins de 1 % du prix de vente ?** L'industrie du parfum cultive le mystère et se méfie de la transparence. Elle n'est pas la seule dans ce cas. Aussi les plagiaires ont-ils les coudées franches.

En France, la publicité comparative est interdite. Il n'en est pas de même aux États-Unis, au Canada et dans le plupart des pays anglo-saxons. Dans ces pays, on peut aisément sortir un nouveau parfum en clamant sur les toits que le jus est identique à celui d'Opium ou à celui de Chanel N° 5. Rien ne l'empêche ! Mais le jus est-il vraiment identique ? Cette question mérite d'être élucidée. Les moyens modernes d'analyse, le couplage chromatographe en phase gazeuse — spectromètre de masse — ordinateur, permettent de décomposer un parfum et d'en restituer la formule. S'il reste quelques imprécisions, le nez du parfumeur se chargera de les régler. N'allez pas croire que les imitations soient le fait d'un petit laborantin avec des moyens de fortune. Les parfums, comme leurs imitations, sont créés par les compagnies d'odeurs et d'arômes (IFF, Givaudan, Firmenich, etc.). Il peut être parfois très facile pour une compagnie d'imiter un jus... dont elle détient la formule originale. Ceux qui désirent lancer des contrefaçons n'ont qu'à frapper à la porte de ces compagnies. Le jus qu'on leur proposera sera d'autant plus proche du succès qu'ils seront prêts à y mettre le prix.

Le véritable problème n'est pas d'imiter un parfum, mais de le vendre. Les imitations déclarées de parfums connus ont mauvaise presse. Les détaillants de parfums leur refusent l'accès à leurs comptoirs. On les comprend. Les détaillants font beaucoup plus de profits avec les vraies marques. Les imitateurs se cherchent des débouchés et n'en trouvent que bien peu. Contrairement aux analogies, les imitations déclarées ont peu d'impact sur le marché. La Société des parfums français, dont les bureaux chefs étaient installés à Montréal, et qui devait grâce à ses produits « It's not... » chambarder le marché des parfums en Amérique, a dû fermer ses portes. Ses jus avaient beau imiter les grands parfums, elle n'a pas su résoudre les problèmes de mise en marché et de distribution.

Et puis, disons-le, un parfum n'est pas qu'un jus. C'est aussi un flacon, un emballage, un nom et... une image ! Il est aussi issu d'un monde où on ne se fait pas de cadeau, et où les nouveaux venus auront de plus en plus de difficultés à se faire une place au soleil.

Un monde de géants

Voici un tableau des géants du monde des cosmétiques et des parfums [9] :

---

9. Tiré de la revue *Parfums, cosmétiques, arômes*, Paris, nº 74, avril-mai 87, p.16.

CHIFFRE D'AFFAIRES DES PRINCIPALES MAISONS MONDIALES DE COSMÉTIQUES	
	Milliards de $ US Décembre 86
L'Oréal géré (Lancôme, Cacharel, Lauren, Biotherm, etc.)	3,2
Shiseido	2,1
Avon (avec Giorgio)	2,0
Uniliver & Chesebrough Pond's	1,9
Revlon	1,6
Estée Lauder	1,1
Bristol Myers	1,1
Procter et Gamble + Richardson Vicks	1,0
Wella	0,9
Beiersdorf	0,9
Gillette	0,9
Sanofi	0,6
Beecham	0,6
American Cyanamid	0,6
Noxell	0,4
Henkel	0,4
Elizabeth Arden	0,4
Pfizer (Coty)	0,4
Moët Hennessy (Dior, Roc)	0,3

Chapitre 7
La classification des parfums

De 1900 à maintenant, plus de 6 000 parfums ont vu le jour. Plusieurs d'entre eux ont un air de famille. Certains s'inspirent d'un grand classique, d'autres sont le mélange de deux tendances. Très vite, on classa les parfums selon leur note parfumée. Nous allons voir les deux classifications les plus populaires : celle de la Société technique des parfumeurs de France pour les parfums féminins et celle de la Généalogie des extraits de Haarmann et Reimer pour les parfums masculins.

Chacune de ces classifications est un outil fantastique pour nous orienter dans le monde des parfums. Elles sont aussi des étalons qui nous permettent d'habituer notre nez aux parfums en apprenant à reconnaître les grandes familles d'odeurs. Ces classifications nous aident à découvrir et à préciser nos goûts et nous font apprécier les parfums en nous les faisant connaître. Il ne faut pas lever le nez sur les parfums. La musique véhicule plusieurs genres : rock, jazz, classique… Il en est de même pour les parfums.

Les notes féminines

La classification que nous allons vous présenter a été réalisée par une commission de travail de la Société technique des parfumeurs de France. Les parfums y forment cinq familles d'odeurs, elles-mêmes subdivisées en classes. On remarquera que ce classement ne tient pas compte des parfums masculins. C'est à cette classification que l'on se réfère le plus souvent pour décrire un parfum féminin.

La classification des parfums par la Société technique des parfumeurs de France

A — Famille florale

Cette famille regroupe les parfums dont le thème principal est formé d'une fleur ou de plusieurs. C'est de loin la plus populaire des familles d'odeurs. Toutes les fleurs peuvent y être exploitées, soit en solitaires, soit en bouquets : rose, jasmin, muguet, lilas, œillet, hyacinthe, fleur d'oranger, tubéreuse, iris, ylang-ylang.

A1 — Soliflore

Très populaire à la fin du XIXe siècle, ce type d'odeur, parfum d'une seule fleur, a perdu beaucoup de son attrait. Ces parfums essaient de copier la nature. Dans cette veine, il faut noter Diorissimo (1956) du grand Edmond Roudnitska.

Rose		
Rose	Molinard	1860
Rose Jacqueminot	Coty	1904
La Rose d'Orsay	D'Orsay	1908
A Rose is a Rose	Houbigant	1974
Tea Rose Perfurmers	Workshop	1976
Jasmin		
Jasmin	Molinard	1860
Jasmin de Corse	Coty	1906
Jasmin	Le Galion	1940

Muguet		
Le Muguet des Bois	Coty	1936
Lily of the Valley	Le Galion	1950
Le Muguet du Bonheur	Caron	1952
Premier Muguet	Bourjois	1955
Diorissimo	C. Dior	1956
Œillet		
Bellodgia	Caron	1927
Narcisse		
Narcisse Noir	Caron	1912
Lilas		
Apple Blossom	H. Rubinstein	1948
Gardénia		
Gardénia	Chanel	1925
Gardénia	Le Galion	1937
Tubéreuse		
Tubéreuse	Le Galion	1939
Fracas	Piguet	1948
Crescendo	Lanvin	1965
Chloé	Lagerfeld	1975
Jontue	Revlon	1975
Pavlova	Payot	1976
Violette		
Vera Violetta	Roger et Gallet	1892
Violette Pourpre	Houbigant	1907
Toulouse	Berdoues	1937
Violette	Le Galion	1950

A2 — Bouquet floral

On copie encore la nature, mais le parfumeur joue le rôle d'un fleuriste en composant avec plusieurs fleurs afin de livrer un bouquet d'odeurs. On appellera « parfum floral de fantaisie » un parfum floral dans lequel on ne peut attribuer le caractère fleuri à aucune fleur en particulier.

L'Air du Temps, de Nina Ricci (1948), est un chef-d'œuvre où œillet, jasmin, rose et ylang-ylang développent un magnifique bouquet féminin qui s'harmonise avec de fines notes boisées et musquées. On ne compte plus les parfums qui s'inspirent de L'Air du Temps.

Joy, de Patou (1935), que l'on présenta comme le parfum le plus cher au monde, est essentiellement un accord de rose et de jasmin. Mille, de Patou (1973), portera lui aussi l'étiquette du parfum le plus cher au monde. Le prix élevé devient un outil du marketing. L'accord de Joy sera repris par beaucoup de parfums aldéhydiques.

L'Idéal	Houbigant	1900
Floramye	L.T. Piver	1903
Pompéia	L.T. Piver	1907
Quelques Fleurs	Houbigant	1912
Narcisse Bleu	Mury	1920
My sin	Lanvin	1925
Rêve d'or	L.T. Piver	1926
Amour Amour	Patou	1928
Moment Surprême	Patou	1931
Je reviens	Worth	1932
Fleurs de Rocaille	Caron	1933
Blue Grass	E. Arden	1935
Joy	Patou	1935
Fame	Corday	1937
Brumes	Le Galion	1939
L'Air du Temps	N. Ricci	1947

Le dix	Balenciaga	1947
Snob	Le Galion	1952
Le De	Givenchy	1956
Capricci	N. Ricci	1960
Princesse d'Albret	J. d'Albret	1964
Super Estée	E. Lauder	1969
Super Moondrops	Revlon	1970
1000	Patou	1972
Charlie	Revlon	1973
Yendi	Capucci	1974
Unspoken	Avon	1975
Cardin	Cardin	1976
Flamme	Bourjois	1976
Blasé	M. Factor	1977
Valentino	Valentino	1978
White Linen	E. Lauder	1978
Anaïs Anaïs	Cacharel	1979
Métal	P. Rabanne	1979
Madame de Carven	Carven	1979
Symbiose	Stendhal	1980
Or Noir	P. Morabito	1981
Guirlandes	Carven	1982
Clair de Jour	Lanvin	1983
Fleur d'Orlane	Orlane	1983
Les Jardins de Bagatelle	Guerlain	1983
Paris	Y. Saint-Laurent	1983
Lumière	Rochas	1984
Azzaro 9	Azzaro	1984
Barynia	H. Rubinstein	1985
Maxim's	P. Cardin	1985
Intrigue	Carven	1986
L'insolent	C. Jourdan	1986
Rose de Rouge	Gemey	1986
Ombre bleue	J.C Brousseau	1987

A3 — Fleuri vert

C'est une classe assez jeune, où une note fraîche et verte se combine à un accord floral. Le galbanum, obtenu à partir de la sève d'une plante, y est employé pour donner de la verdeur aux compositions. Le premier fleuri vert fut Vent Vert, de Balmain (1945). Il est l'œuvre de Germaine Cellier qui osa y mettre 8 % de galbanum. À l'époque, les femmes n'étaient pas prêtes à sentir le gazon. Cette classe devint populaire au début des années 70.

Vent Vert	Balmain	1945
Graffiti	Capucci	1963
Câline	Patou	1964
Belle de Rauch	M. de Rauch	1966
Fidji	G. Laroche	1966
Masumi	Coty	1967
Chanel N° 19	Chanel	1970
Norell	Norell	1970
Geoffrey Beene	G. Beene	1971
Variations	Carven	1971
Alliage	E. Lauder	1972
Cialenga	Balenciaga	1973
Inouï	Shiseido	1976
Silences	Jacomo	1978
Vôtre	C. Jourdan	1978
Murasaki	Shiseido	1980
Must de jour	Cartier	1981
Alix	Grès	1982
Fleur de fleurs	N. Ricci	1982
Le Jardin	Max Factor	1983

A4 — Fleuri aldéhydé

C'est un bouquet floral où l'on retrouve des aldéhydes. En 1918, un parfumeur d'une compagnie grassoise utilisa par mégarde une solution de 10 % d'aldéhydes gras au lieu de la solution de 1 %. Il en résulta un parfum d'une rondeur magnifique avec une tête très relevée. Ce parfum prit le nom de Rallet N° 1. Il devint par la suite le fameux Chanel N° 5 (1921). L'emploi des aldéhydes, en plus de relever la tête, confère plus de corps, plus de personnalité au bouquet floral d'origine. Cette classe regroupe un grand nombre de parfums.

Chanel N° 5	Chanel	1921
Le Dandy	D'Orsay	1923
L'Aimant	Coty	1927
Arpège	Lanvin	1927
Liu	Guerlain	1929
Sortilège	Le Galion	1937
Cœur Joie	N. Ricci	1947
Robe d'Un Soir	Carven	1947
Magie	Lancôme	1949
Detchema	Révillon	1953
Fath de Fath	J. Fath	1953
Casaque	J. d'Albret	1956
L'Interdit	Givenchy	1957
Topaze	Avon	1959
Madame Rochas	Rochas	1960
Parce que !	Capucci	1963
Dédicace	Cheramy	1966
Climat	Lancôme	1967
Calandre	P. Rabanne	1969
Kiku	Faberge	1969
Évasion	Bourjois	1970
Infini	Caron	1970
Chicane	Jacomo	1971
Rive Gauche	Y. Saint-Laurent	1971
Révillon IV	Révillon	1972
Farouche	N. Ricci	1974
Gucci I	Gucci	1974

Aviance	Matchabelli	1975
First	Van Cleef	1976
Tamango	Leonard	1977
Cléa	Y. Rocher	1981
Gauloise	Molyneux	1981
Ombre Rose	J.C. Brosseau	1981
Un jour	C. Jourdan	1982
Nina	Nina Ricci	1987
Saso	Shiseido	1987

A5 — Fleuri boisé fruité

Il y a un prolongement boisé au bouquet floral. Des notes fruitées viennent agrémenter la tête et le cœur. Cette classe a des accords très modernes et emprunte beaucoup à l'industrie des arômes. Elle est devenue fort populaire à partir de 1980.

Iris Gris	J. Fath	1947
Amazone	Hermès	1974
Quartz	Molyneux	1977
Espaces	Cheramy	1978
Lauren	R. Lauren	1978
Nahéma	Guerlain	1979
Molinard	Molinard	1979
Ivoire	Balmain	1980
Envol	T. Lapidus	1980
Turbulences	Révillon	1981
Armani	G. Armani	1982
« K »	Krizia	1982
Nombre Noir	Shiseido	1982
Courrèges in blue	Courrèges	1983
Filly	Capucci	1983
Bambou	Weil	1984
Niki de Saint-Phalle	N. de Saint-Phalle	1984
Beautiful	E. Lauder	1985

Clandestine	Guy Laroche	1986
Jardin D'Amour	M. Factor	1986
Calyx	E. Lauder	1987
Tiffany	Tiffany	1987

B — Famille des chyprés

Cette famille regroupe des parfums qui ont des accords de style mousse de chêne, ciste, labdanum, patchouli, bergamote. Elle tire son nom de l'île de Chypre. Les croisés avaient rapporté de cette île une eau parfumée qu'on appela « Eau de Chypre » et dont le labdanum était le principal ingrédient. En 1917, Coty créa Chypre, un parfum qui devint vite populaire. Coty employa de la mousse de chêne qu'il cueillit dans la forêt de Fontainebleau comme base de son parfum. Ce parfum donna naissance à une famille fort nombreuse.

Depuis 1970, l'évolution et la création au sein de cette famille sont particulièrement lentes. Ma Griffe, de Carven (1946), Cabochard, de Grès (1958), Miss Dior (1947), et Femme, de Rochas (1942), continuent d'inspirer les tendances d'aujourd'hui.

B1 — Chypre fleuri aldéhydé

Un ensemble Chypre floral se trouve enrichi d'aldéhydes.

Crêpe de Chine	Millot	1925
Zibeline	Weil	1928
Fruit Vert	Florel	1930
Carnet de Bal	Révillon	1937
Nuit de Longchamp	Lubin	1937
Aphrodisia	Faberge	1938
Antilope	Weil	1945
Ma Griffe	Carven	1946
Réplique	Raphael	1947
Glamour	Bourjois	1953

Mémoire Chérie	E. Arden	1957
Calèche	Hermès	1961
Chant d'Arômes	Guerlain	1962
Fashion	Léonard	1970
Vivre	Molyneux	1971
Coriandre	Couturier	1973
Complice	Coty	1974
Mystère	Rochas	1978
Amérique	Courrèges	1979
Ciao	Houbigant	1980
Gianni Versace	G. Versace	1982
Diva	Ungaro	1983
Shéhérazade	J. Desprez	1983
Trussardi	Trussardi	1984
Paloma Picasso	P. Picasso	1985
Provocation	E. Aigner	1986
Mon Classique	Morabito	1987

B2 — Chypre fruité

Un accord chypre très prononcé est agrémenté d'une note fruitée qui singularise l'ensemble.

Mitsouko	Guerlain	1919
Cinq de Molyneux	Molyneux	1925
Rumeur	Lanvin	1932
Femme [1]	Rochas	1944
Diorama	C. Dior	1949
Canasta	J. Fath	1950
Quadrille	Balenciaga	1955

1. Edmond Roudnitska, le créateur de Femme, s'élève contre cette classification. Pour lui, Femme n'est pas un chypré mais un fleuri aldéhydé. Les classifications des parfums suscitent la polémique même parmi les parfumeurs.

Fête	Molyneux	1962
Y	Y. Saint-Laurent	1964
Eau Sauvage	Dior	1966
Diorella	Dior	1972
Cristalle	Chanel	1974
Azzaro	L. Azzaro	1975
Choc	P. Cardin	1981
Cerruti	Nino Cerruti	1987
Bleu de Chine	M. de la Morandière	1987

B3 — Chypre cuiré

L'accord chypre est durci. Cette note sèche est teintée de notes épicées et animalisées. Ce type d'accord allait inspirer de nombreux parfums masculins. Pensons à Aramis d'Estée Lauder, à Polo de Ralph Lauren et à Drakkar Noir de Guy Laroche.

Sous le Vent	Guerlain	1933
Émir	Dana	1935
Bandit	Piguet	1944
Ramage	Bourjois	1951
Jolie Madame	Balmain	1953
Cabochard	Grès	1959
Celui	Dessés	1959
Diorling	C. Dior	1963
Zen	Shiseido	1964
Unforgettable	Avon	1965
Imprévu	Coty	1966
Miss Balmain	Balmain	1967
Cachet	Matchabelli	1970
Durer	Durer	1971
Empreinte	Courrèges	1971
Sikkim	Lancôme	1971
Ellipse	J. Fath	1972

Red	G. Beene	1976
Ungaro	Ungaro	1977
J.L. Scherrer	J.L. Scherrer	1980
Norell 2	Norell	1980
Missoni	Missoni	1982
Paradoxe	P. Cardin	1983
Le Parfum	Rare Jacomo	1985
La nuit	Paco Rabanne	1985
Fendi	Fendi	1987

B4 — Chypre vert

Nous retrouvons une tête verte et un fond chypré que le cœur essaie d'unir. Cette classe possède des parfums qui étonnent.

Miss Dior	Dior	1947
Intimate	Revlon	1955
Vert et Blanc	Carven	1958
Vivara	E. Pucci	1965
Givenchy III	Givenchy	1971
Timeless	Avon	1974
Sophia	Coty	1980
Senchal	C. of the Ritz	1981

C — Famille Fougère

L'accord y est généralement réalisé avec des notes lavandées, boisées, mousse de chêne, coumarine. Certains y voient une subdivision des Chypre. Cette famille possède peu de membres. Elle a cependant suscité l'apparition de nombreux parfums masculins dont Azzaro pour hommes, de Loris Azzaro.

Fougère Royale	Houbigant	1882
Jicky	Guerlain	1889
Le Trèfle Incarnat	L.T. Piver	1896

Maja	Myrurgia	1925
Flor de Blason	Myrurgia	1927
20 Carats	Dana	1933
Canoë	Dana	1935

D — Famille Ambrée

On y retrouve les parfums qui ont des notes douces, poudrées, vanillées, animales. Les notes de fond dominent. Ces parfums possèdent un sillage prononcé qui perdure. Les parfums de cette famille sont souvent désignés comme des « orientaux ». La clientèle américaine est particulièrement friande de ces parfums capiteux. Depuis quelques années, cette famille a le vent dans les voiles.

D1 — Ambré fleuri boisé

Le caractère boisé résiduel se perçoit bien. La note de tête s'orne de variations florales.

Un Air Embaumé	Rigaud	1912
Nuit de Noël	Caron	1922
Habanita	Molinard	1924
Toujours Moi	Corday	1924
Bois des Isles	Chanel	1926
Prétexte	Lanvin	1937
Shocking	Schiaparelli	1937
Chamade	Guerlain	1969
Vu	T. Lapidus	1975
Expression	J. Fath	1977
Magie noire	Lancôme	1978
Must du soir	Cartier	1981
Nocturnes	Caron	1981
Parfum d'Hermès	Hermès	1984
Ysatis	Givenchy	1984
Salvador Dali	Savador Dali	1984

Dans la nuit	Worth	1985
Obsession	C. Klein	1985
Montana	Montana	1986
Venise	Y. Rocher	1986
Gem	Van Cleef & Arpels	1987
Loulou	Cacharel	1987
Colors	Benetton	1987
Bijan	Bijan	1987
Passion	E. Taylor	1987

D2 — Ambré fleuri épicé

Une note épicée émane d'un fond ambré. On peut aussi y retrouver un caractère sucré. Le succès phénoménal qu'obtint Oscar de la Renta, de Oscar de la Renta (1977), sur le marché américain a su inspirer la création de plusieurs parfums. L'étonnant Poison, de Dior (1985), a créé une tendance nouvelle au sein de cette classe.

L'Origan	Coty	1905
Après l'Ondée	Guerlain	1906
Cœur de Jeannette	Houbigant	1912
L'heure bleue	Guerlain	1912
Maderas de Oriente	Myrurgia	1924
Soir de Paris	Bourjois	1928
Vol de Nuit	Guerlain	1933
Chasse Gardée	Carven	1950
Bal à Versailles	J. Desprez	1962
Oscar de la Renta	De la Renta	1977
Charles of the Ritz	C. of the Ritz	1978
Raffinée	Houbigant	1982
Balahé	Léonard	1983
Poison	C. Dior	1985
Panthère	Cartier	1987
Senso	Ungaro	1987

Bizance	Rochas	1987

D3 — Ambré doux

C'est la note ambrée classique : douceur, chaleur et sillage prononcé. Cette famille possède peu de parfums nouveaux et n'inspire guère les créateurs.

Émeraude	Coty	1921
Shalimar	Guerlain	1925
Tabu	Dana	1931
Chantilly	Houbigant	1941
Royal Secret	G. Monteil	1960
Anne Klein II	Anne Klein	1987

D4 — Semi-ambré fleuri

Cette classe recèle des parfums très populaires. Le dosage nuancé de la note ambrée se fond dans un ensemble olfactif puissant. Ce sont des parfums qui ont de la ténacité. L'école américaine de la parfumerie s'est montrée particulièrement active dans cette classe.

Youth Dew	E. Lauder	1952
Bird of Paradise	Avon	1969
Private Collection	E. Lauder	1973
J'ai Osé	G. Laroche	1977
Opium	Y. Saint-Laurent	1977
Cinnabar	E. Lauder	1978
Maïdori	Cheramy	1978
Dioressence	C. Dior	1979
KL	Lagerfeld	1982
Prélude	Balenciaga	1982
Kéora	Couturier	1983
Ruffles	O. de la Renta	1983
Coco	Chanel	1984

Classification des parfums de la Société technique des parfumeurs de France

AMBRÉS

AMBRÉ, FLEURI, BOISÉ

Parfum	Maison	Année
Air Embaumé (Un)	Rigaud	1912
Nuit de Noël	Caron	1922
Habanita	Molinard	1924
Toujours Moi	Corday	1924
Bois des Îles	Chanel	1926
Prétexte	Lanvin	1937
Shocking	Schiaparelli	1937
Chamade	Guerlain	1969
Vu	T. Lapidus	1975
Expression	J. Fath	1977
Magie Noire	Lancôme	1978
Must du Soir	Cartier	1981
Nocturnes	Caron	1981
Parfum d'Hermès	Hermès	1984
Ysatis	Givenchy	1984
Salvador Dali	Salvador Dali	1984
Dans la nuit	Worth	1985
Obsession	C. Klein	1985
Montana	Montana	1986
Venise	Y. Rocher	1986
Gem	Van Cleef & Arpels	1987
Loulou	Cacharel	1987
Colors	Benetton	1987
Bijan	Bijan	1987
Passion	E. Taylor	1987

AMBRÉ, FLEURI, ÉPICÉ

Parfum	Maison	Année
L'Origan	Coty	1905
Après l'Ondée	Guerlain	1906
Cœur de Jeannette	Houbigant	1912
L'Heure Bleue	Guerlain	1912
Maderas de Oriente	Myrurgia	1924
Soir de Paris	Bourjois	1928
Vol de nuit	Guerlain	1933
Chasse Gardée	Carven	1950
Bal à Versailles	J. Desprez	1962
Oscar de la Renta	O. de la Renta	1977
Charles of the Ritz	C. of the Ritz	1978
Raffinée	Houbigant	1982
Balahé	Léonard	1983
Poison	C. Dior	1985
Panthère	Cartier	1987
Senso	Ungaro	1987
Bizance	Rochas	1987

AMBRÉ DOUX

Parfum	Maison	Année
Emeraude	Coty	1921
Shalimar	Guerlain	1925
Tabu	Dana	1931
Chantilly	Houbigant	1941
Royal Secret	G. Monteil	1960
Anne Klein II	Anne Klein	1987

SEMI-AMBRÉ FLEURI

Parfum	Maison	Année
Youth-Dew	E. Lauder	1952
Bird of Paradise	Avon	1969
Private Collection	E. Lauder	1973
J'ai Osé	G. Laroche	1977
Opium	Y. St-Laurent	1977
Cinnabar	E. Lauder	1978
Maïdori	Cheramy	1978
Dioressence	C. Dior	1979
« KL »	Lagerfeld	1982
Prélude	Balenciaga	1982
Kéora	Couturier	1983
Ruffles	O. de la Renta	1983
Coco	Chanel	1984
Ma liberté	J. Patou	1987
Capucci de Capucci	Capucci	1987

CHYPRES

CHYPRE FLEURI ALDÉHYDÉ

Parfum	Maison	Année
Crêpe de Chine	Millot	1925
Zibeline	Weil	1928
Fruit Vert	Florel	1930
Carnet de Bal	Revillon	1937
Nuit de Longchamp	Lubin	1937
Aphrodisia	Fabergé	1938
Antilope	Weil	1945
Ma Griffe	Carven	1946
Réplique	Raphael	1947
Glamour	Bourjois	1953
Mémoire Chérie	E. Arden	1957
Calèche	Hermes	1961
Chant d'Arômes	Guerlain	1962
Fashion	Leonard	1970
Vivre	Molyneux	1971
Coriandre	Couturier	1973
Complice	Coty	1974
Halston	Halston	1974
Mystère	Rochas	1978
Amérique	Courrèges	1979
Ciao	Houbigant	1980
Versace	G. Versace	1981
Diva	Ungaro	1983

Shéhérazade	J. Desprez	1983
Trussardi	Trussardi	1984
Paloma Picasso	P. Picasso	1985
Provocation	E. Aigner	1986
Mon Classique	Morabito	1987

CHYPRE FRUITÉ

Mitsouko	Guerlain	1919
Cinq de Molyneux	Molyneux	1925
Rumeur	Lanvin	1932
Femme	Rochas	1944
Diorama	C. Dior	1949
Canasta	J. Fath	1950
Quadrille	Balenciaga	1955
Fête	Molyneux	1962
« Y »	Y. St-Laurent	1964
Eau Sauvage	C. Dior	1966
Diorella	C. Dior	1972
Cristalle	Chanel	1974
Azzaro	L. Azzaro	1975
Choc	P. Cardin	1981
Cerruti	Nino Cerruti	1987
Bleu de Chine	M. de la Morandière	1987

CHYPRE CUIRÉ

Sous le Vent	Guerlain	1933
Emir	Dana	1935
Bandit	Piguet	1944
Ramage	Bourjois	1951
Jolie Madame	Balmain	1953
Cabochard	Gres	1959
Celui	Dessés	1959
Diorling	C. Dior	1963
Zen	Shiseido	1964
Unforgettable	Avon	1965
Imprévu	Coty	1966
Miss Balmain	Balmain	1967
Cachet	Matchabelli	1970
Durer	Durer	1971
Empreinte	Courreges	1971
Sikkim	Lancôme	1971
Ellipse	J. Fath	1972
Red	G. Beene	1976
Ungaro	Ungaro	1977
J.-L. Scherrer	Scherrer	1980
Norell 2	Norell	1980
Missoni	Missoni	1982
Paradoxe	P. Cardin	1983
La Nuit	P. Rabanne	1985
Le Parfum Rare	Jacomo	1985
Fendi	Fendi	1987

CHYPRE VERT

Miss Dior	C. Dior	1947
Intimate	Revlon	1955
Vert et Blanc	Carven	1958
Vivara	Pucci	1966
Givenchi III	Givenchy	1970
Timeless	Avon	1974
Sophia	Coty	1980
Senchal	C. of the Ritz	1981

CUIRS

Tabac Blond	Caron	1919
Cuir de Russie	Chanel	1924
Scandal	Lanvin	1932
Kobako	Bourjois	1936

FLORAUX

SOLIFLORE ROSE

Rose	Molinard	1860
Rose Jacqueminot	Coty	1904
La Rose d'Orsay	D'Orsay	1908
A Rose is a Rose	Houbigant	1974
Tea Rose	Perfumers's Workshop	1976

SOLIFLORE JASMIN

Jasmin	Molinard	1860
Jasmin de Corse	Coty	1906
Jasmin	Le Galion	1940

SOLIFLORE MUGUET

Le Muguet des Bois	Coty	1936
Lily of the Valley	Le Galion	1950
Le Muguet du Bonheur	Caron	1952
Premier Muguet	Bourjois	1955
Diorissimo	C. Dior	1956

SOLIFLORE ŒILLET

Bellodgia	Caron	1927

SOLIFLORE NARCISSE

Narcisse Noir	Caron	1912

SOLIFLORE LILAS

Apple Blossom	H. Rubinstein	1948

SOLIFLORE GARDENIA

Gardénia	Chanel	1925
Gardénia	Le Galion	1937

SOLIFLORE TUBÉREUSE

Tubéreuse	Le Galion	1939
Fracas	Piguet	1948
Crescendo	Lanvin	1965
Chloé	Lagerfeld	1975
Jontue	Revlon	1975
Pavlova	Payot	1976

SOLIFLORE VIOLETTE

Vera Violetta	Roger et Gallet	1892
Violette Pourpre	Houbigant	1907
Violette de Toulouse	Berdoues	1937
Violette	Le Galion	1950

BOUQUET FLORAL

L'Idéal	Houbigant	1900
Floramye	L.-T. Piver	1903
Pompéia	L.-T. Piver	1907
Quelques Fleurs	Houbigant	1912
Narcisse Bleu	Mury	1920
My Sin	Lanvin	1925
Rêve d'Or	L.-T. Piver	1926
Amour Amour	Patou	1928
Moment Suprême	Patou	1931
Je Reviens	Worth	1932
Fleurs de Rocaille	Caron	1933
Blue Grass	E. Arden	1935
Joy	Patou	1935
Fame	Corday	1937
Brumes	Le Galion	1939
L'Air du Temps	N. Ricci	1947
Le Dix	Balenciaga	1947
Snob	Le Galion	1952
Le De	Givenchy	1956
Capricci	N. Ricci	1960
Princesse d'Albret	J. D'Albret	1964
Super Estée	E. Lauder	1969
Super Moondrops	Revlon	1970
1000	Patou	1972
Charlie	Revlon	1973
Yendi	Capucci	1974
Unspoken	Avon	1975
Cardin	Cardin	1976
Flamme	Bourjois	1976
Blasé	M. Factor	1977
Valentino	Valentino	1978
White Linen	E. Lauder	1978
Anaïs Anaïs	Cacharel	1979
Métal	P. Rabanne	1979
Madame de Carven	Carven	1979
Symbiose	Stendhal	1980
Or Noir	P. Morabito	1981
Guirlandes	Carven	1982
Clair de Jour	Lanvin	1983
Fleurs d'Orlane	Orlane	1983
Les Jardins de Bagatelle	Guerlain	1983
Paris	Y. St-Laurent	1983
Azzaro 9	Azzaro	1984
Lumière	Rochas	1984
Barygna	H. Rubinstein	1985
Maxim's	P. Cardin	1985
Intrigue	Carven	1986
L'insolent	C. Jourdan	1986
Rose de Rouge	Gemey	1986
Ombre bleue	J.C. Brousseau	1987

FLEURI VERT

Vent Vert	Balmain	1945
Grafitti	Capucci	1963
Câline	Patou	1964
Belle de Rauch	M. de Rauch	1966
Fidji	G. Laroche	1966
Masumi	Coty	1967
Chanel nº 19	Chanel	1970
Norell	Norell	1970
Geoffrey Beene	G. Beene	1971
Variations	Carven	1971
Alliage	E. Lauder	1972
Cialenga	Balenciaga	1973
Inouï	Shiseido	1976
Shocking You	Schiaparelli	1976
Silences	Jacomo	1978
Vôtre	C. Jourdan	1978
Murasaki	Shiseido	1980
Must de jour	Cartier	1981
Alix	Gres	1982
Fleur de Fleurs	N. Ricci	1982
Le Jardin	Max Factor	1983

FLEURI ALDÉHYDÉ

Chanel nº 5	Chanel	1921
Le Dandy	D'Orsay	1923
L'Aimant	Coty	1927
Arpège	Lanvin	1927
Liu	Guerlain	1929
Sortilège	Le Galion	1937
Cœur Joie	N. Ricci	1947
Robe d'Un Soir	Carven	1947
Magie	Lancôme	1949
Detchema	Revillon	1953
Fath de Fath	J. Fath	1953
Casaque	J. d'Albret	1956

L'Interdit	Givenchy	1957
Topaze	Avon	1959
Madame Rochas	Rochas	1960
Parce Que !	Capucci	1963
Dédicace	Cheramy	1966
Climat	Lancôme	1967
Calandre	P. Rabanne	1969
Kiku	Fabergé	1969
Evasion	Bourjois	1970
Infini	Caron	1970
Chicane	Jacomo	1971
Rive Gauche	Y. St-Laurent	1971
Révillon IV	Révillon	1972
Farouche	N. Ricci	1974
Gucci I	Gucci	1974
Aviance	Matchabelli	1975
First	Van Cleef	1976
Tamango	Léonard	1977
Cléa	Y. Rocher	1981
Gauloise	Molyneux	1981
Ombre Rose	J.-C. Brosseau	1981
Un Jour	C. Jourdan	1982
Nina	Nina Ricci	1987
Saso	Shiseido	1987

FLEURI, BOISÉ, FRUITÉ

Iris Gris	J. Fath	1947
Amazone	Hermes	1974
Quartz	Molyneux	1977
Espaces	Cheramy	1978
Lauren	R. Lauren	1978
Nahéma	Guerlain	1979
Molinard	Molinard	1979
Envol	T. Lapidus	1980
Ivoire	Balmain	1980
Turbulences	Révillon	1981
Armani	G. Armani	1982
« K »	Krizia	1982
Nombre Noir	Shiseido	1982
Courrèges in Blue	Courrèges	1983
Filly	Capucci	1983
Bambou	Weil	1984
Niki de Saint-Phalle	N. de St-Phalle	1984
Beautiful	E. Lauder	1985
Clandestine	Guy Laroche	1986
Jardin d'Amour	M. Factor	1986
Calyx	E. Lauder	1987
Tiffany	Tiffany	1987

FOUGÈRES

Fougère Royale	Houbigant	1882
Jicky	Guerlain	1889
Le Trèfle Incarnat	L.-T. Piver	1896
Maja	Myrurgia	1925
Flor de Blason	Myrurgia	1927
20 Carats	Dana	1933
Canoé	Dana	1935

Ma liberté	J. Patou	1987
Capucci de Capucci	Capucci	1987

E — Famille « Cuir »

Cette famille bien à part révèle des notes sèches de fumée et de tabac tout en essayant de reproduire l'odeur du cuir. Cette famille a bien peu d'adeptes féminins. Elle a cependant inspiré la parfumerie masculine.

Tabac Blond	Caron	1919
Cuir de Russie	Chanel	1924
Scandal	Lanvin	1932
Kobako	Bourjois	1936

Les notes masculines

La Société technique des parfumeurs de France n'a pas établi de familles d'odeurs des notes masculines. C'est pourquoi nous nous référons à la généalogie des extraits de Haarman et Reimer.

La généalogie des extraits de Haarmann et Reimer

Haarmann et Reimer (H&R) est une compagnie allemande, filiale du géant pharmaceutique Bayer, qui se spécialise dans les odeurs et les arômes. Vers 1975, Peter Wörner proposait, par l'entremise de cette compagnie, une généalogie des extraits qui regroupait deux cents parfums. Le modèle employé présentait les parfums sous la forme d'un arbre généalogique. Un seul coup d'œil permettait de voir les grands classiques et les tendances qu'ils avaient inspirées, ainsi que la chronologie et la note olfactive. Cette généalogie eut un grand succès. Depuis 1975, H&R a mis à jour et amélioré ce modèle. Il existe maintenant deux généalogies : l'une traitant des notes féminines, et l'autre, des notes masculines. Chacune compte plus de quatre cents parfums. Ces généalogies en sont à leur cinquième édition.

Nous nous contenterons de la présenter selon le même modèle que la classification des parfums féminins de la Société technique des parfumeurs de France.

La généalogie H & R des notes masculines

À la fin du XIXe siècle et au début du XXe siècle, la création de parfums de fantaisie ne visait que la clientèle féminine. On considérait que seuls des hommes efféminés pouvaient utiliser du parfum. La parfumerie masculine s'est donc développée très lentement, et la France n'y joua au début qu'un rôle secondaire. Les grandes tendances de la parfumerie masculine seront longtemps entre les mains des Américains, des Anglais et des Allemands.

Vers le milieu des années 60, devant l'ouverture d'esprit de la clientèle, le succès des notes masculines s'amplifia. Les Français en profitèrent pour entrer dans la course, et ils en sont maintenant à viser les postes de commande.

Il y eut plus de compositions masculines de prestige au cours des quinze dernières années qu'au cours des cent ans passés. Le parfum n'a jamais autant courtisé les hommes.

H&R présente dix grandes familles de notes masculines :

A — Famille lavande

Chères aux Britanniques, les eaux lavandées ont une longue histoire qui leur a permis, tout comme les eaux de Cologne classiques, de ne pas souffrir du préjugé associé au port du parfum. Aux États-Unis, comme en Europe, la lavande est perçue comme une odeur masculine.

Cette famille, toujours très populaire, démontre un certain essoufflement dans la création.

A1 — Lavande frais

C'est l'eau de lavande classique. La note lavande domine par sa pureté. Son fond est léger.

English lavender	Atkinsons	1910
English lavender	Yardley	1913
Pour un homme	Caron	1934
Agua lavanda	Puig	1940
MG 5 lavender	Shiseido	1967
Lavanda inglesa	Gal	1968
Eau de Balenciaga lavande	Balenciaga	1973
Eau de lavanda	4711/Mülhens	1973
Lavender	Avon	1973
Cool sage	Avon	1978

A2 — Lavande épicé

Un accent de conifère se joint à la note lavandée. On peut aussi discerner un fond épicé.

Silvestre	Victor	1946
Acqua di selva	Victor	1949
Pino silvestre	Vidal	1955
Grès pour homme	Grès	1965
Agua brava	Puig	1968
V by Victor	Victor	1972
Yachtman	Mas	1973
Monsieur F	Ferragamo	1976
Halston 101	Halston	1984

B — Fougère

Au début du siècle, le terme « Fougère » remplaça l'expression « foin coupé » à cause de la grande popularité de Fougère royale, une création de Paul Parquet pour Houbigant (1882).

On y retrouvait un accord de lavande, mousse de chêne et coumarine. Cette famille, très utilisée dans les savons, n'inspire plus que des notes masculines.

B1 — Fougère frais

La fraîcheur de la lavande domine. Les parfums modernes de cette tendance innovent avec des accords secs dans lesquels les épices et les herbes se conjuguent. On y trouve un des grands succès de la parfumerie masculine moderne : Azzaro pour homme.

Fougère royale	Houbigant	1882
Skin bracer	Mennen	1931
MG 5	Shiseido	1967
Pullman	Dana	1968
Monsieur Rochas	Rochas	1969
Monsieur Worth	Worth	1969
Lordos	Shiseido	1972
Loewe para hombre	Loewe	1978
Azzaro pour homme	Azzaro	1978
Lorenzaccio	Diparco	1978
Un homme	Jourdan	1979
Cellini	Fabergé	1980
Carvin	Calvin Klein	1981
Cacharel pour l'homme	Cacharel	1981
Fer	Féraud-Avon	1982
Coveri pour homme	Enrico Coveri	1984
Etruscan	Aramis div.	1984
Pitralon sport	Jovan	1984
Borsalino	Borsalino	1984
Squash	Dana	1984
Rockford	Atkinsons	1985
Lamborghini GT	Lamborghini	1985
Fair play	Cerruti	1985
Oleg Cassini pour homme	Cassini	1986

Dunhill edition	Dunhill	1986
Arrogance uomo	Pikenz	1987
Sergio Tacchini	S. Tacchini	1987
Jazz	Y. Saint-Laurent	1988

B2 — Fougère floral

Le néroli, la violette et le muguet se combinent à la lavande. Des tons d'ambre, d'épices et de bois donnent de la profondeur à la composition. Paco Rabanne pour homme domine cette lignée.

Dunhill	Dunhill	1934
Moustache	Rochas	1949
Men's club	Rubinstein	1966
Burley/Bounty	Armour Dial	1968
G-man's	Gainsboro	1971
Paco Rabanne pour homme	Paco Rabanne	1973
Captain	Molyneux	1974
Chaz	Revlon	1975
Patrichs	Louis Philippe	1976
Marbert man	Marbert	1977
Champaca	4711/Mülhens	1978
Reporter	Cassini	1978
John Weitz	J. Weitz	1978
Millionnaire	Mennen	1979
Worth pour homme	Worth	1980
Alain Delon	Alain Delon	1980
Men's style	Juvena	1982
Jordache man	Jordache	1983
Grès Monsieur sport	Grès	1984
Portos	Aramis inc.	1985
Men's classic	4711/Mülhens	1986
Boss Sport	Betrix	1987
G.M. Venturi uomo	G.M. Venturi	1987

Alain Delon plus	Alain Delon	1987
Romanoff	Parfums R AG	1987

B3 — Fougère boisé

Une note boisée ressort nettement. Des accents très modernes d'ambre aux nuances boisées caractérisent les récentes créations.

Varon Dandy	Parera	1924
Woodhue for men	Fabergé	1938
Sanda Iwood	Arden for men	1957
Timberline english leather	Mem. comp.	1968
Nomade	D'Orsay	1973
Étienne Aigner N° 2	Aigner	1976
Blend 30	Dunhill	1978
Weil pour homme	Weil	1980
Santos	Cartier	1981
Jules	Dior	1981
Kouros	Y. Saint-Laurent	1981
Le 3e homme	Caron	1985
Zino Davidoff	Lancaster	1986
Iron	Coty	1987
Free Life	Aigner	1987
Salvador Dali for men	Salvador Dali	1987
Lapidus pour homme	Lapidus	1987

B4 — Fougère suave

Des agents fixateurs puissants rendent ces parfums tenaces. Ceux-ci sont très populaires aux États-Unis. Brut, de Fabergé, en est l'archétype.

Brut	Fabergé	1964
Wild Country	Avon	1967
Black label	Yardley	1969

Wind Drift	Mem. comp.	1970
Macho	Fabergé	1976
Imperial leather	Cussons	1976
Version originale	Jean Marc Sinan	1984
Carrington	Charles of the Ritz	1985

C — Famille orientale

L'utilisation du terme « oriental » pour désigner des parfums masculins est récente. Jusqu'à tout dernièrement, les parfums au sillage prononcé et au tonus marqué avaient mauvaise presse chez les hommes. Cette retenue n'existe plus. Aujourd'hui, les parfums pour hommes aux effluves capiteux ne surprennent plus.

De la famille Lavande à celle des orientaux, l'intensité des parfums s'accentue pour atteindre ici son sommet. À mesure que nous passerons aux autres familles (Chypre et Citrus), cette intensité s'atténuera.

C1 — Oriental épicé

Le précurseur de cette famille est Old Spice, de Shulton (1937). L'histoire de ce parfum est particulièrement instructive sur l'industrie du parfum de l'époque. William Lightfoot Schultz planifiait l'introduction sur le marché d'un nouveau parfum féminin sous le nom de « Early American Old Spice » et recherchait un jus à l'ancienne avec une touche moderne.

Après avoir soumis son projet à plusieurs maisons de parfums, la compagnie Dodge et Olcott lui présenta un parfum élaboré deux ans plus tôt par M. Hauch, un parfumeur de la maison. Cette composition avait été refusée par tous les autres acheteurs. M. Schultz apprécia cette odeur et après quelques légères modifications, il l'accepta. Early American Old Spice pour femmes sortit en 1937. Un an plus tard, Schultz eut l'idée saugrenue de lancer une lotion après-rasage en utilisant la même composition. Le seul changement effectué fut l'ajout de notes d'agrumes pour conférer un ton masculin au jus. Le produit fut vendu sous le nom de Old Spice. Il connut un succès fantastique et ouvrit la porte à un nouveau type de notes masculines. Il faut dire qu'il fallut un certain courage aux hommes pour utiliser cette lotion après-rasage qui tranchait vraiment avec les eaux de lavande tolérées jusqu'alors.

La note de tête de type Cologne se combine à un fond bien marqué où le girofle et la cannelle se marient. Des nuances provenant du thym, de l'oliban, du poivre, de la muscade, de l'angélique et de fixateurs ambrés singularisent et enrichissent les compositions.

Old Spice	Shulton	1937
Partner	Revillon	1960
Pour monsieur	Chanel	1961
Habit rouge	Guerlain	1964
Équipage	Hermès	1970
Ho Hang	Balenciaga	1971
Men's cologne	Cardin	1972
Executive	Atkinsons	1972
Chevalier	D'Orsay	1973
Derrick	Orlane	1978
Superfragrance for men	Aigner	1978
Monsieur Carven	Carven	1978
Versailles pour homme	Desprez	1980
Patou pour homme	Patou	1980
Jacomo	Jacomo	1980
Casanova pour homme	J. Casanova	1981
Grès monsieur	Grès	1982
Rugger	Avon	1982
Versace l'homme	Versace	1984
Sagamore	Lancôme	1985
Members only	Mem. comp.	1985
Morris men's col	Morris	1986

K.L. homme	Lagerfeld	1986
Sergio Soldano for men	S. Soldano	1986

C2 — Oriental suave

Les notes épicées ont une suavité orientale. Ces parfums possèdent beaucoup de tonus. Notons Lagerfeld, de Lagerfeld (1978), et Cacharel pour hommes, de Cacharel (1981). Cette lignée de parfums masculins jouit d'une popularité aussi élevée que celle des parfums orientaux pour femmes (Shalimar, Youth Dew, Opium, Oscar de la Renta, Poison).

Kanon	Scannon	1966
Royal Copenhagen	Swank	1970
Vintage	Shiseido	1975
Lagerfeld	Lagerfeld	1978
Marc Cross	Marc Cross	1978
Chaps	Cosmair	1979
Black suede	Avon	1980
Toro	Marbert	1980
Stetson	Coty	1981
J.H.L.	Aramis Div.	1982
Royal Copenhagen sport	Swank	1982
Bogner	Bogner cosm.	1985
Open	Roger et Gallet	1985
G.F. Ferré man	Gianfranco Ferré	1986
Obsession for men	Calvin Klein	1986
Bois noir	Chanel	1988

D — Famille Chypre

La fraîcheur des agrumes se dresse sur une base de mousse de chêne et de patchouli. Cette famille a su inspirer autant de parfums féminins que de parfums masculins.

D1 — Chypre boisé

On y retrouve les parfums chyprés qui possèdent le plus de tonus. Le vétiver et le patchouli confèrent à ses créations beaucoup de chaleur.

Vétiver	Carven	1957
Eau de vétyver	Le Galion	1961
Vetiver	Guerlain	1961
Vetyver Lanvin	Lanvin	1964
Balafre	Lancôme	1967
Bravas Bosky	Shiseido	1971
Aramis 900	Aramis div.	1973
Gentlemen	Givenchy	1974
Vetyver	Roger et Gallet	1974
Valcan	Kanebo	1976
Monsieur Jovan	Jovan	1977
Vetiver de Puig	Puig	1978
Oleg Cassini for men	Cassini	1979
Care	Astor	1979
Henry M. Betryx city	Betrix	1979
De viris	J. Bogart	1982
Bois de vétiver	J. Bogart	1982
L'altro uomo	R. di Camerino	1982
Eau de Vetyver	Yves Rocher	1982
Men two	Jil Sander	1982
Giorgio for men	Giorgio	1984
Paradigm	Shiseido	1985
Success	MCM	1986
Giorgio V.I.P.	Giorgio	1987
Gear	Shiseido	1987
Iquitos	Alain Delon	1987

D2 — Chypre cuiré

L'accord de cuir présente une interprétation sèche de la note chypre. Dans sa veine fraîche, la note de tête ne se différencie guère des têtes que l'on peut trouver dans les autres familles. Le caractère de cuir ne devient discernable que lorsqu'on parvient au cœur. Quorum, de Puig (1982), fait partie de cette tendance. La veine sèche produit une odeur de cuir au déboucher. Antaeus, de Chanel (1981), entre dans cette lignée. Dans la tendance épicée, la note de cuir est soutenue par un accord chypré plus classique. Macassar, de Rochas (1980), représente très bien cette orientation.

Knize ten	Knize	1924
Cravache	Piguet	1963
Aramis	Aramis div.	1965
Russisch leder	Farina Genenüber	1967
Signor Vivara	Pucci	1970
Sir Canada ceder	4711/Mülhens	1971
Étienne Aigner	Aigner	1975
Denim	Élida Gibbs	1976
Yacatan	Caron	1976
Snuff	Schiaparelli	1977
Man	Jovan	1977
Revillon pour homme	Revillon	1977
Temujin	Kanebo	1978
Van Cleef & Arpels	Van Cleef & Arpels	1978
Leonard pour homme	Leonard	1980
Macassar	Rochas	1980
One man show	J. Bogart	1980
Camaro	Nerval	1980
Turbo	Fabergé	1980
Portos	Balenciaga	1980
Andron for men	Jovan	1981
Burberrys for men	Burberry	1981

Pour lui	Oscar de la Renta	1981
Antaeus	Chanel	1981
Lanvin for men	Lanvin	1981
Man pure	Jil Sander	1981
Rouge	Lubin	1981
Rodeo	Wolff & Sohn	1982
Or Black	Morabitu	1982
Arrogance for men	Pikenz	1982
Lancetti uomo	Lancetti	1982
Quorum	Puig	1982
Matchabelli	Matchabelli	1982
Égo 2 homme	Pacoma	1982
Noir	Roberre	1982
Care n° 2	Astor	1982
Missoni uomo	Missoni	1983
Krizia uomo	Krizia	1984
Hascish homme	Veejaga	1984
Trussardi uomo	Trussardi	1984
Davidoff	Davidoff	1984
French line	Revillon	1984
Jean-Louis Trintignant	J.L. Trintignant	1985
Derby	Guerlain	1985
Or masculin	Bourjois	1985
Perry Ellis for men	Perry Ellis	1985
Bel ami	Hermès	1986
Adidas	Astor	1986
Carlo Corinto	C. Corinto	1986
Basile uomo	Basile	1987
Ho Hang club	Balenciaga	1987
Halston limited	Halston	1987
Esencia Loewe	Loewe	1988

D3 — Chypre conifère

L'emploi de nouvelles substances à l'odeur boisée, combinées à des extraits de conifères, caractérise cette variation du thème chypre. Les créations qu'on y trouve sont dites sportives et jouissent d'une grande popularité. Il suffit de penser à Polo, de Lauren, et à Drakkar Noir, de Guy Laroche.

Sir Irish moos	4711/Mülhens	1969
Gucci pour homme	Gucci	1976
Courrèges homme	Courrèges	1977
Punjab	Capucci	1979
Polo	Lauren	1980
Gilvan	Kanebo	1981
Drakkar Noir	Guy Laroche	1982
Agreste	Gal	1982
Balestra pour homme	Balestra	1982
L'homme	Roger et Gallet	1982
Men	Mennen	1982
Derringer	Sans Soucis	1982
J. Ch. de Castelbajac	4711/Mülhens	1982
Gambler	Jovan	1983
Ébène	Balmain	1984
Wall street	Victor	1984
Lauder for men	Betrix	1985
Boss	Betrix	1985
Kipling	Weil	1986
Insignia	Shulton	1986
Xeryus	Givenchy	1986
Bowling green	Geoffrey Beene	1986
Man III	J. Sander	1987
Hunter	Atkinsons	1988

D4 — Chypre frais

Malgré leur ténacité, ces parfums donnent une impression de fraîcheur et de transparence. Ils possèdent une radiance marquée.

Aqua velva ice blue	Williams	1935
That man	Revlon	1961
YSL ligne pour homme	Y. Saint-Laurent	1971
Eau cendrée	Jacomo	1974
Halston Z 14	Halston	1976
Ghibli	Atkinsons	1978
Verlande	Gillette	1980
Cambridge	Mem. comp.	1981
Adolfo for men.	Denney	1981
Hawk	Mennen	1981
Silver	Aigner	1984
Phileas	Ricci	1984
Marbert	Gentleman Marbert	1986
Metropolis	Lauder	1987

D5 — Chypre vert

La note de tête s'enrichit de verdure et apporte de la fraîcheur à la composition.

Monsieur Lanvin	Lanvin	1964
Blue stratos	Shulton	1976
Grey flannel	Geoffrey Beene	1976
Knize tow	Knize	1978
Devin	Aramis div.	1978
Tactics	Shiseido	1979
Nino Cerruti	Cerruti	1980
Henry M. Betrix country	Betrix	1980
Oltas	Lion	1982
Mila Schön uomo	M. Schön	1986

E — Famille citrus

Les agrumes comprennent les oranges, les citrons, les mandarines et autres fruits du genre citrus. Cette famille nous ramène au début de la parfumerie alcoolique. À cette époque, l'ajout d'essence de citron à l'alcool aidait à combattre le scorbut. Ce n'est que plus tard que l'on découvrit que les agrumes étaient riches en acide ascorbique (vitamine C). Cette famille obtient les faveurs des hommes comme des femmes.

E1 — Citrus floral

Eau Sauvage, de Dior (1966), doit son cachet à la présence de l'hédione dans sa composition. Ce produit synthétique a marqué la parfumerie. L'hédione allie à la fraîcheur des agrumes un apport floral et une rondeur bien particulière. Eau Sauvage a inspiré à la fois des parfums masculins et des parfums féminins. On pense à Diorella, de Dior (1972), et à Ô, de Lancôme (1969). Eau Sauvage est un jalon important de la parfumerie.

Eau Sauvage	Dior	1956
Capucci pour homme	Capucci	1967
Bravas	Shiseido	1969
Shendy	Roger et Gallet	1970
Hidalgo	Myrurgia	1971
Eau légère	Bourjois	1972
Gran valor	Maürer & Wirtz	1972
Signoricci 2	Ricci	1976
Tanamar	Parera	1977
Trophée	Lancôme	1982
Eau sauvage extrême	Dior	1984

E2 — Citrus fantaisie

La composition imaginative des bouquets de ces eaux de Cologne leur mérite l'étiquette « fantaisie ». English leather, de Mem. comp. (1949), caractérise assez bien cette variation du thème chypre.

English leather	Mem. comp.	1949
Tabac original	Maürer & Wirtz	1959
Monsieur de Givenchy	Givenchy	1959
Eau de monsieur Balmain	Balmain	1964
Onyx	Lenthéric	1964
Green water	Fath	1967
Eroica	Kanebo	1970
Hattric extra dry	Olivin	1972
Monsieur de Rauch	Rauch	1973
Royal eroica	Kanebo	1974
Dimensione uomo	Ciccarelli	1977
Aus lese	Shiseido	1978
Racquet club	Mem. comp.	1978
Sport fragrance	Aigner	1979
Armani pour homme	Armani	1984
Lacoste	Lacoste	1984
Sergio Soldano for men (black)	S. Soldano	1985
Biotherm homme	Biotherm	1986
R/Capucci	Capucci	1986
Bleu marine	Cardin	1986
Double mixte	Révillon	1986
Eau de sport	Paco Rabanne	1986
Trimaran	Yves Rocher	1986

E3 — Citrus frais

On y trouve les eaux de Cologne originales datant du début du XVIIIe siècle. Nous sommes à l'aube de la parfumerie alcoolique. Les eaux citronnées et aromatisées aux herbes sont très volatiles. Elles laissent une impression de fraîcheur et de propreté, mais qui ne dure pas. Eau de Cologne Hermès, d'Hermès (1982), avec sa tête mandarinée, est particulièrement intéressant. Ces parfums ont leur attrait dans la note de tête. Leur cœur et leur fond sont presque inexistants.

Kölnisch wasser	Farina Gegenüber	1714
Kölnisch wasser 4711	4711/Mülhens	1792
Gold Medal	Atkinsons	1799
Jean Marie Farina	Roger et Gallet	1806
EDC impériale	Guerlain	1860
EDC tradition	Arden for men	1957
Eau de Guerlain	Guerlain	1974
Eau de Patou	Patou	1976
Eau de Cologne Hermès	Hermès	1982
Tailoring for men	Clinique/Lauder	1984

E4 — Citrus vert

La note verte empruntée au galbanum se retrouve aux côtés de dérivés aromatiques chimiques. Le tout est masculinisé par l'apport sec d'une tête du type eau de Cologne.

Prestige dry herb	Wolff & Sohn	1960
Signoricci	Ricci	1965
Gentilhomme	Weil	1967
Ajonc	Rocher	1972
Drakkar	Guy Laroche	1972
Halston 1-12	Halston	1976
Lamborghini convertible	Lamborghini	1979
Otelo	Ponds	1985

Chapitre 8

Existe-t-il un art de se parfumer ?

Se parfumer ! Pourquoi ?

L'un des graves problèmes auquel est confrontée l'espèce humaine réside dans la communication avec les autres. Nous vivons dans un monde où tout va très vite. Il est devenu essentiel de pouvoir communiquer rapidement ce que nous sommes. Or nous ne communiquons pas uniquement par les sons (langage). La vue et les odeurs ont aussi un rôle.

La vue

Les gestes, les mimiques sont indispensables à la parole. Une image vaut mille mots. Avant de prêter une oreille attentive à l'autre, nos yeux nous permettent de le toiser. Les vêtements, la coiffure, le maquillage sont des artifices dont le rôle est de révéler ce qu'on est ou ce qu'on aimerait être. Les artistes et les politiciens savent l'importance de l'apparence. Parfois, les effets de celle-ci ont plus d'impact que l'individu lui-même. Telle robe vous rendra romantique, tel fichu ajoutera une touche de coquetterie et ce tailleur vous donnera une allure distinguée. Un banquier s'habille en banquier. Sa profession l'oblige à faire preuve de conservatisme, ce qui n'est pas nécessaire pour le jeune artiste ou l'étudiant. Le militaire, le pompier, le médecin portent un uniforme. En fait, l'habillement, la coiffure, le maquillage suivent des règles compliquées et variables. Les messages qu'ils véhiculent sont divers et nous ne sommes pas à l'abri des malentendus. Qu'en est-il des parfums ?

Les odeurs

Les odeurs que nous émettons sont captées par notre entourage, qui les interprétera consciemment ou non. Le parfum est un moyen raffiné de communication. Il fait appel aux sentiments et non à la raison. Il révèle une note intime. C'est un moyen habile d'exprimer ce que nous n'osons dire.

Comment choisir son parfum ?

La couleur des cheveux fut longtemps un critère dans le choix des parfums. Les blondes étaient considérées comme des femmes timides, fragiles. On leur conseillait des parfums légers et fleuris. On prêtait aux brunettes une nature plus vive, plus audacieuse et on les orientait vers des parfums épicés et moussus.

Un autre critère avancé pour le choix des parfums est la texture de la peau. Les blondes naturelles ont généralement une peau plutôt fine et délicate qui se dessèche facilement. Leur peau réagirait bien aux parfums fleuris. La peau des brunettes a une texture plus épaisse et huileuse. Elle recevrait bien les parfums épicés et moussus. Les rousses ont une peau délicate, très sensible au soleil, qui se marierait avec les parfums verdurés et boisés.

Mais voilà, se référer à la texture de la peau et à la couleur des cheveux ne saurait être considéré comme une recette magique vous privant du plaisir de choisir vos parfums. Bien d'autres critères interviennent : les goûts olfactifs (une blonde peut aimer les parfums orientaux), la personnalité, l'humeur, la saison, l'alimentation, etc.

Les dix commandements

Voici les commandements à suivre si vous voulez bien choisir vos parfums.

1- Ton nez tu éduqueras
Afin de choisir sciemment

Vous pourrez choisir un parfum qui reflète vos goûts et votre personnalité si vous connaissez bien les parfums et leurs différentes familles. Il faut éduquer votre nez. N'hésitez pas à visiter les comptoirs de parfums des magasins.

2- De la famille tu t'informeras
Afin de t'éclairer olfactivement

Lorsque vous appréciez un parfum, demandez de quelle famille il est issu. Les parfums sont classés selon plusieurs grandes familles d'odeurs. Il est probable que certaines d'entre elles vous plaîront plus que d'autres. Essayez de les distinguer. La vendeuse se fera un plaisir de vous informer et de vous aider à choisir.

3- Pas plus de trois parfums tu ne sentiras
Afin de ne pas perdre ton temps inutilement

Apprécier un parfum dans une atmosphère saturée d'odeurs relève de la haute voltige. De grâce, n'anesthésiez pas votre odorat. Limitez-vous à trois parfums.

4- Le flacon jamais tu ne humeras
Pour ne pas être trompé entièrement

Combien de gens jugent un parfum au déboucher ? C'est là une grave erreur. Humer le flacon nous fait apprécier une infime partie de la vie d'un parfum. À vrai dire, cette pratique nous fait subir les vapeurs alcoolisées. C'est à éviter. Péché mortel !

5- *Une mouillette tu demanderas*
Pour apprécier intelligemment [1]

Pour apprécier un parfum, les parfumeurs se servent d'un instrument prévu à cette fin : la mouillette. Pourquoi ne pas les imiter ? La mouillette vous permettra d'assister à l'évolution du parfum. La note de tête que vous trouvez agréable cache peut-être un cœur fade ou un fond quelconque. On ne trouve pas toujours de mouillettes. Vous pourriez utiliser une ouate ou un mouchoir de coton. Vous pouvez aussi visiter le comptoir d'un autre détaillant, ce qui vous évitera de transgresser le cinquième commandement. Certaines personnes appliquent trois ou quatre parfums sur leur peau afin de les apprécier. Ce n'est pas une méthode recommandable. Apprenez à vous fier aux mouillettes.

6- *L'achat jamais tu ne feras*
Avant d'avoir essayé sérieusement

Un parfum qui vous déplaît sur mouillette ne mérite pas d'être essayé. Par contre, une odeur qui vous plaît ne se mariera peut-être pas avec votre odeur corporelle. Demandez à la préposée qu'elle vous fournisse un échantillon (ou format d'essai) du parfum que vous désirez essayer. Ces échantillons sont fournis gratuitement par les compagnies distributrices afin d'aider les consommateurs à faire leur choix. À défaut d'un échantillon, vous pouvez appliquer un peu de parfum sur votre peau et observer son évolution. Mais bien souvent, l'échantillon s'avère indispensable. Si

1. La mouillette est un pis-aller. L'idéal serait de vaporiser le parfum dans une cabine étanche, d'attendre deux minutes et de pénétrer dans la cabine. À ce moment, vous seriez en mesure d'apprécier les effluves du parfum comme si vous le portiez. Mais, malheureusement, ces cabines olfactives où l'air serait renouvelé entre chaque essai n'existent pas. De grands parfumeurs, tel Marcel Billot, le fondateur de la Société technique des parfumeurs de France, et Jean Carles (Tabu), en ont pourtant émis l'idée. À défaut de ces cabines olfactives, la mouillette demeure le meilleur outil disponible.

vous cherchez un parfum de soirée, ce n'est pas en faisant vos emplettes qu'il faut l'apprécier, mais bien lors d'une soirée. Le même principe s'applique à un parfum que l'on veut porter pendant le travail. Dans ces cas, si le détaillant n'a pas d'échantillon disponible, prenez un air désolé et demandez-lui s'il croit que tel autre détaillant en aurait. Un détaillant fait un bénéfice de 40 % sur la vente des parfums. Il est fort probable qu'il s'équipera rapidement en échantillons pour satisfaire une clientèle avisée.

7- *Parfum en cadeau tu offriras*
Avec un format d'essai l'accompagnant

Offrir un parfum en cadeau est une tâche souvent difficile. Comment savoir si le parfum plaira ? Pour éviter un mauvais choix, joignez au cadeau un échantillon du parfum acheté. Celle qui le reçoit pourra essayer le parfum sans altérer l'emballage. Si le parfum lui déplaît, il lui sera facile de l'échanger au magasin.

8- *La vendeuse tu écouteras*
Mais le choix te reviendra exclusivement

Prenez l'avis des préposées aux parfums. Elles vous orienteront dans le monde des odeurs. Cependant, le choix final vous revient. Votre parfum est un message pour votre entourage. Il vous aide à vous sentir sûre de vous.

9- *Un parfum tu aimeras*
Mais peut-être pas éternellement

Tel parfum vous va merveilleusement bien en été, mais en hiver il perd son charme. Cela est souvent relié à un changement dans votre alimentation. En hiver, on a tendance à avoir une alimentation plus riche. Votre odeur personnelle s'en trouve modifiée.
Tel parfum vous allait si bien il y a cinq ans. Maintenant, vous le trouvez désagréable. La vie affective peut influencer l'odeur de la peau et les goûts olfactifs. Une personne jusqu'ici calme, heureuse et comblée peut développer des

goûts différents si la vie lui fait subir des épreuves difficiles et stressantes : divorce, maladie, perte d'un être cher.
Le parfum est une projection de ce que vous êtes. Si vous changez, si vous rencontrez le bonheur ou sombrez dans le malheur, il se peut que vos goûts d'hier ne correspondent plus à ceux d'aujourd'hui. Il est intéressant de voir que des femmes reviennent à certains parfums lorsqu'elles vivent des émotions, des sentiments associés à ces parfums.

10- Le parfum se conservera
Si tu le traites amoureusement

Le parfum est un produit fragile qui craint la chaleur, la lumière, l'oxygène et les contaminations.
La chaleur accélère la dégradation des particules organiques responsables des odeurs. Soumis à la chaleur, un parfum vieillit prématurément. Essayez de le garder dans un endroit frais ; par exemple sur votre table de chevet plutôt que dans la pharmacie.
La lumière peut provoquer des réactions chimiques entre les divers composés organiques du parfum. À la lumière, un parfum change peu à peu de couleur. Les parfums aux teintes vertes ont tendance à pâlir alors que ceux de couleur dorée foncent. Ce changement de couleur indique des altérations importantes. Le parfum n'est plus lui-même. Il faut le jeter. Après avoir utilisé un parfum, remettez-le dans son emballage d'origine. Il y sera à l'abri.
La présence d'oxygène entraîne l'oxydation de certaines molécules. Un parfum oxydé présente une tête qui se charge d'odeurs discordantes. L'effet produit est fort désagréable. Pour empêcher l'oxydation du parfum, ne laissez jamais le flacon ouvert inutilement. Si vous utilisez un parfum avec parcimonie, n'achetez pas le grand format. Graduellement, la bouteille se vide, l'oxygène prend plus de place et l'oxydation s'accélère. Parfois, il est utile de transvider le parfum dans un plus petit flacon.
Une contamination peut se produire si vous vous servez du bouchon comme applicateur. Le bouchon, au contact de la

peau, peut se charger de lipides, d'acides aminés et de bactéries qui altéreront à la longue le parfum [2]. Les parfums en vaporisateur ne présentent pas ce problème.

Un parfum est fragile. Il dure environ un an. Avec les précautions requises, cette vie peut doubler, voire tripler. À vous d'en prendre soin.

Psychologie et parfum

Nous venons de voir comment choisir nos parfums. Nous pouvons poursuivre notre enquête et nous demander la raison de notre choix. Les compagnies de parfums s'y intéressent également, comme le démontre une étude menée par Joachim Mensing et Christian Beck [3]. Je vous en livre les résultats. Cette étude fait intervenir trois facteurs :

— le profil psychologique,

— le style de vie désiré,

— le contexte socio-culturel.

A) Le profil psychologique

Le caractère de l'utilisatrice joue un rôle déterminant dans ses préférences olfactives. Le profil psychologique se définit en fonction de deux grands axes de la personnalité :

a) la stabilité affective,

b) l'ouverture sur l'entourage.

---

2. Si ces contaminations sont possibles, il n'en demeure pas moins que la présence prédominante d'alcool éthylique dans la composition du jus en atténue les effets. À moins de garder un parfum très longtemps (plus d'un an), l'emploi du bouchon comme applicateur n'est pas à proscrire.

3. Muller, J. *The H&R Book of perfume*, Londres, Haarmann & Reimer edition, 1984, p. 127-135.

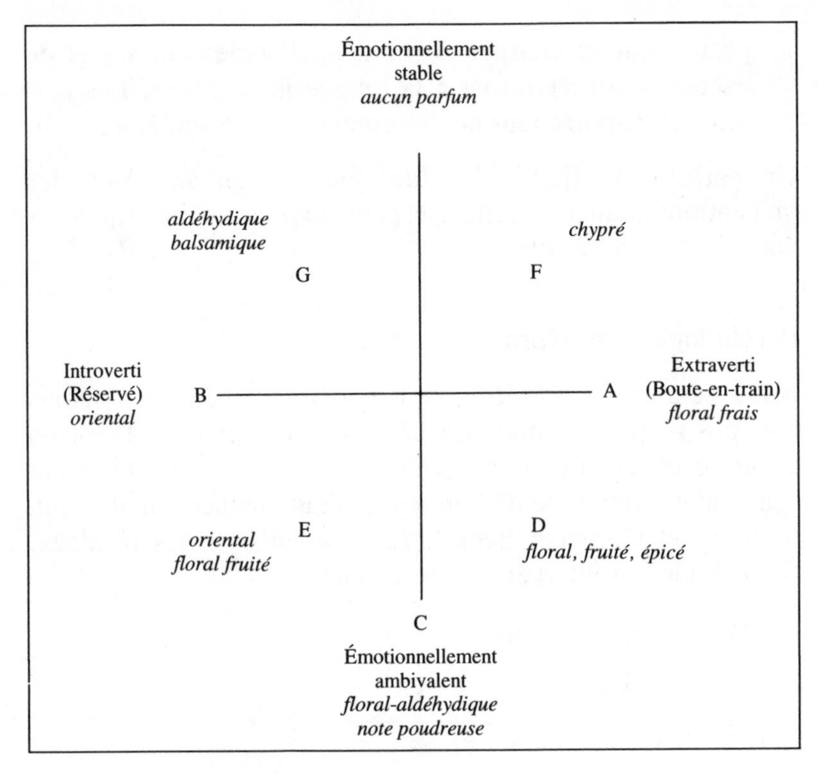

B) Le style de vie désiré

Un parfum doit non seulement correspondre aux sentiments et au caractère de celle qui le porte, il doit aussi exprimer le style de vie qu'elle recherche. Dans ce cas, la présentation du parfum, la publicité, l'image, l'endroit de vente et le prix déterminent son choix. Une femme recherchant le prestige n'achètera pas un produit de grande diffusion, même si le jus est susceptible de lui plaire. Prenez ce même jus, habillez-le de luxe, augmentez son prix et cette femme pourra se laisser tenter.

C) Le contexte socio-culturel

Les études de marché tiennent particulièrement compte de ce dernier facteur. Sentiments et humeur peuvent être influencés par l'âge, le sexe, la culture, le climat, le niveau social, le degré d'instruction. Ainsi, les Japonaises aiment les parfums légers et fleuris, alors que les Américaines préfèrent les odeurs lourdes. Une Japonaise éprouvera de la réticence à acheter un parfum aux capiteuses notes orientales. De son côté, l'Américaine n'hésitera aucunement.

Ces trois facteurs interviennent lors de l'achat d'un parfum. Plus le fabricant tiendra compte de ces trois facteurs, plus la cliente sera tentée d'acheter le parfum.

Ces critères peuvent expliquer un choix, mais ne songez pas à les utiliser pour vous aider à choisir. En réalité bien d'autres facteurs peuvent intervenir. Ne serait-ce qu'un goût très personnel pour la vanille ou le clou de girofle. Ne psychanalysez pas vos goûts. Contentez-vous de les écouter. C'est la meilleure manière de bien choisir.

De la fidélité d'hier à la garde-robe de demain

Le mariage du parfum et de sa propriétaire fut longtemps considéré comme un engagement exclusif. La femme se devait d'être fidèle à son parfum. Partout où elle allait, son parfum était son compagnon le plus constant. Il devenait son odeur propre, une émanation de sa personne. Changer de parfum eut été une tromperie non seulement envers elle-même mais aussi envers les autres, qui ne pourraient plus la reconnaître à son sillage. Certaines femmes associaient le parfum à leur vie amoureuse. Elles étaient infidèles à leur parfum avant de l'être à leur amant ou à leur mari. Voilà un usage qui devait mettre le nez des hommes sur le qui-vive !

La fidélité au parfum n'est pas morte. Cette coutume longtemps ancrée dans les mœurs bat cependant de l'aile. L'édifice se lézarde. Il y a tant de beaux parfums que les femmes se laissent de plus en plus tenter. Elles s'accordent des infidélités, des aventures, et puis c'est le divorce : un nouveau parfum a ravi la place du parfum préféré. Il y trônera quelque temps, puis, à son tour, subira l'ombre du nouveau favori. Le parfum n'est plus considéré comme une émanation permanente de l'âme, mais comme un élément d'élégance répondant aux mêmes critères que ceux de la mode. On le porte et on le change selon les occasions, selon ses désirs, ses humeurs. On développe une garde-robe parfumée où plusieurs parfums se côtoient en se pliant à une hiérarchie très souple.

Que vous soyez fidèle à votre parfum ou que vous ayez une garde-robe parfumée, vous vous êtes sûrement déjà demandée comment on devait se parfumer.

L'art de se parfumer : une horloge qui accuse du retard

Nous abordons ici un terrain très mouvant sur lequel se disputent des écoles de pensée. Vouloir y faire le ménage risque de créer plus de contradictions que de clarté. On ne s'attaque pas facilement aux mythes. C'est pourtant ce que nous allons faire. Dans un premier temps, nous allons dénoncer certaines pratiques. Dans un deuxième temps, nous allons donner une série de conseils qui pourront vous servir de guide.

Un mythe : les points de pulsion

L'orthodoxie de l'art de se parfumer privilégie neuf points d'application correspondant pour la plupart à des points de pulsion [4] ;

1. Derrière les genoux,
2. Au creux des reins,
3. À la taille,
4. À l'intérieur des poignets,
5. Au creux des coudes,
6. Entre les seins,

4. Endroit où une artère se trouve à fleur de peau. Du doigt, on peut sentir le pouls.

7. Derrière le lobe de l'oreille,
8. Sur la nuque,
9. Sur les tempes.

La raison que l'on évoque pour favoriser ces points d'application est qu'à ces endroits le sang est à fleur de peau, ce qui entraîne une évaporation plus rapide du parfum. On peut s'interroger à propos d'un tel folklore, car l'évaporation rapide du parfum est peu désirable et les points de pulsion n'assurent aucunement ce phénomène [5]. D'ailleurs si les points de pulsion provoquaient effectivement l'évaporation rapide des parfums, ils seraient à déconseiller. Mais comment expliquer un tel rituel ? D'où vient cette pratique ?

Son origine nous ramène à l'époque thérapeutique des parfums. On avait découvert depuis peu la circulation sanguine et on croyait qu'en appliquant le parfum là où le sang était à fleur de peau, on assurait une pénétration plus rapide et efficace du parfum dans le sang. Ce dernier se chargait par la suite d'aller irriguer l'organe malade d'un flot de bonnes odeurs guérisseuses. Avec le temps, ce geste a perdu son sens.

Il est assez curieux de penser qu'une pratique qui voulait favoriser l'absorption des odeurs par la peau ait été par la suite encouragé sous prétexte de faciliter une évaporation plus rapide du parfum, ce qui s'opposait au but initial. Mais les gens avaient besoin d'être conseillés sur la façon de se parfumer, et cette pratique était suffisamment ancrée dans les mœurs pour qu'on ne songe pas à la contester.

Le triangle olfactif : une règle de trop

Une règle beaucoup moins répandue stipule qu'il ne faut pas se parfumer dans le triangle olfactif formé par le haut du nez et les deux épaules. Sinon, vous anesthésiez votre odorat au point de

5. La température de la peau est d'environ 35 °C. Les points de pulsion n'ont pas une température plus élevée.

ne plus sentir votre parfum. Cette mise en garde jette l'anathème sur les cous parfumés.

Il est vrai que lorsqu'on est continuellement soumis à une odeur, on finit par ne plus la percevoir. Ainsi, votre domicile possède une odeur bien particulière. Vous ne la sentez plus, mais elle est remarquée par vos visiteurs. Il en est de même du parfum que vous portez. Votre nez s'y habituera et vous ne le remarquerez plus. Cependant, ceux qui vous côtoient n'y seront pas insensibles. Le fait de ne pas se parfumer dans le triangle olfactif change bien peu de choses à cette accoutumance olfactive sauf pour celles qui se parfument le cou à outrance ou qui ne se parfument que le cou. Dans ces cas, il serait plus sage de revoir la manière de se parfumer.

La peau : un très mauvais support pour les odeurs.

La peau retient mal les odeurs. La nature ne l'a pas équipée pour les garder et les rendre. Ce tissu vivant peut réagir aux parfums et les altérer. La chaleur corporelle accentue l'évaporation du parfum et réduit sa durée. Voici ce que raconte Edmond Roudnitska [6] sur le sujet.

> [...] *En temps normal, sans aucun effort physique, les glandes sudoripares sécrètent 40 à 50 g de sueur par heure. Cette sueur contient de l'eau, un peu de sel marin, des traces d'urée et une substance qui est alcaline au sortir de la glande mais devient acide au contact de l'air et des matières grasses sécrétées par les glandes sébacées. De plus en respirant, la peau absorbe de l'oxygène et rejette du gaz carbonique. Nos compositions sont des mélanges délicats qui ne sont point faits pour subir un tel traitement* [7].

6. Edmond Roudnitska est le plus connu des parfumeurs de notre temps. On lui doit de nombreux livres sur les parfums. Il est le créateur de Femme, de Rochas, de Diorissimo, de Dior. Avec Eau Sauvage, il introduisit l'hédione en parfumerie.
7. ROUDNITSKA, Edmond. *Le parfum*, Paris, Presses universitaires de France, 1980, p. 98.

Au début du XXe siècle, se parfumer la peau apportait une note sensuelle et érotique frisant le scandale. À l'aube du XXIe siècle, il est bon de se rappeler que ce n'est ni la seule ni la meilleure façon de se parfumer. Elle demeure cependant la plus intime.

L'alcool : un solvant !

Au début du siècle, l'alcool était le véhicule privilégié des odeurs. L'est-il encore aujourd'hui ? Rappelons que si l'alcool dissout bien les odeurs, il les retient mal. De plus, son application dessèche la peau car il dissout les huiles naturelles. À la lumière des développements de la cosmétologie, la primauté accordée à l'alcool comme support élu des parfums est à réviser.

L'art de se parfumer : un nouveau « look »

Nous venons de porter de durs coups à des croyances et à des rituels qui régissent depuis trop longtemps ce que l'on appelle « l'art de se parfumer ». Cet art ne semble pas avoir évolué. Il est temps de remettre la pendule à l'heure.

Voici huit conseils qui vous orienteront dans l'art subtil de vous parfumer.

1- Les parfums s'utilisent progressivement à toute heure du jour.

Un paradoxe domine l'art de se parfumer. D'une part, les parfums s'évaporent en émettant de moins en moins de substances odorantes. Le temps épuise le parfum.

D'autre part, les effluves du parfum idéal devraient s'accentuer au cours de la journée. L'art de se parfumer consiste en grande partie à obtenir une courbe d'évaporation qui s'enrichit tout en utilisant un produit que le temps appauvrit.

Le matin, le nez est reposé. L'organisme a profité de la nuit pour regénérer les millions de cils olfactifs. Votre nez est très sensible. Vous n'auriez pas idée de prendre un repas gastronomique très relevé en vous levant. Il en est de même pour les

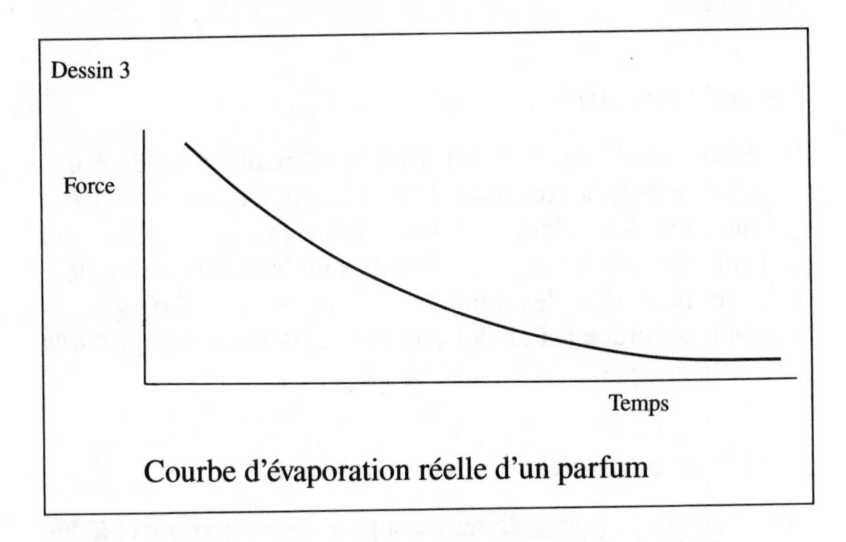

Courbe d'évaporation réelle d'un parfum

parfums. L'utilisation d'une lotion parfumée ou d'une eau de Cologne est conseillée. L'après-midi, vous pouvez renouveler

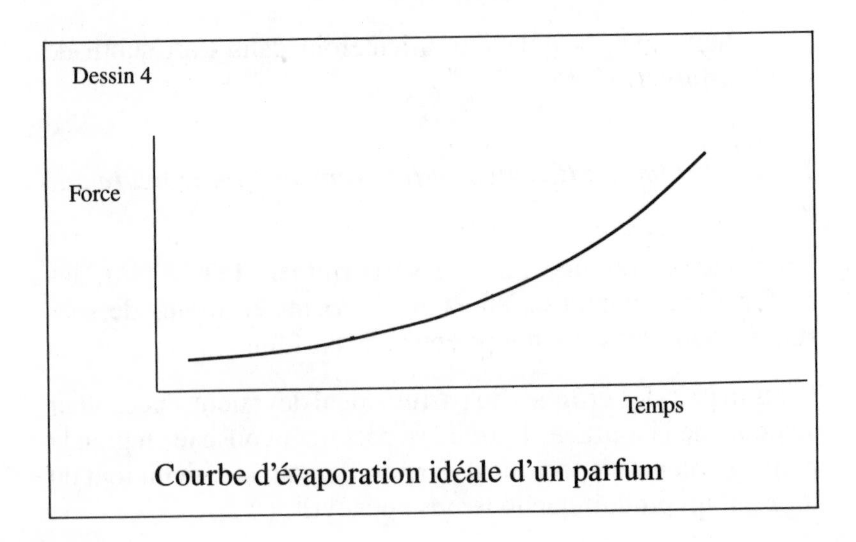

Courbe d'évaporation idéale d'un parfum

votre parfum en utilisant l'eau de toilette. En soirée, l'eau de parfum et l'extrait peuvent être employés.

Attention cependant ! La composition des parfums connaît deux grandes tendances : la parfumerie classique d'origine française et la parfumerie américaine.

La parfumerie française

Les compositions de l'école française sont délicates, harmonieuses et possèdent beaucoup de finesse. Elles doivent être renouvelées au cours de la journée afin d'assurer un sillage doux et discret. Ces compositions assument la structure classique du parfum : tête, cœur et fond.

La parfumerie américaine

Les Américaines en veulent pour leur argent. Elles apprécient particulièrement les jus très tenaces qui durent longtemps. Ce type de parfums, à cause de leur fond très massif, nécessite des retouches plus discrètes et moins fréquentes. Renouveler son parfum à la française lorsqu'on utilise un parfum d'inspiration américaine fera fuir votre entourage. Votre parfum ne caressera plus vos proches, il les agressera. Le parfum à l'américaine est souvent la réponse indiquée pour une femme qui désire émettre des effluves tout au long de la journée sans être obligée de retoucher son parfum, ou pour celle qui ne sait pas qu'un parfum doit être retouché. Ces parfums ont longtemps eu mauvaise presse. On les disait vulgaires, suffocants et de mauvais goût. Aujourd'hui, les parfums à l'américaine siègent sans complexes aux côtés des parfums à la française. Avec les succès de Giorgio et de Poison, on se demande où s'arrêtera l'engouement des femmes pour les parfums violents. Ces parfums présentent habituellement une seule note qui s'adoucit avec le temps. La structure « tête, cœur et fond » y est peu décelable.

Lors du choix du parfum, le test sur mouillette vous indiquera la vigueur et la ténacité du parfum. Vous devez en tenir compte lorsque vous retoucherez votre parfum.

2-Parfumez non seulement votre peau mais également vos cheveux et vos vêtements.

La peau est mal équipée pour retenir et rendre les odeurs. Alors que la peau est imperméable aux odeurs, les cheveux s'en imprègnent. Les cheveux sont de véritables mouillettes naturelles qui vous permettront d'économiser du parfum tout en vous assurant une évaporation plus lente et un sillage plus durable. Parfumer sa chevelure n'est pas nouveau ni révolutionnaire. Aujourd'hui, les habitudes d'hygiène et de propreté permettent à la chevelure de se libérer quotidiennement des odeurs et d'en capter de nouvelles. Mettez une goutte de parfum sur vos cheveux à la base de la nuque. Le résultat vous charmera.

Avant que la femme ne se parfume la peau, elle parfumait sa chevelure et son linge. Les tissus faits de fibres naturelles jouent aussi le rôle de mouillettes. Ils retiennent aisément les odeurs. Vaporisez un peu d'eau de toilette sur les coutures de vos robes et de vos blouses. Vous serez étonnée de la durée de votre parfum. Méfiez-vous cependant des tissus synthétiques. Comme la peau, ils n'absorbent pas les odeurs. Les parfums modernes sont réputés pour ne pas tacher le linge. Soyez cependant prudente avec la soie, le crêpe de Chine et la mousseline. Le parfum peut aussi affecter les perles et l'ivoire. L'utilisation du parfum sur le linge sous-entend le lavage fréquent de celui-ci. Sinon, des parfums différents risquent de s'y confondre.

Et la peau ? Pour l'usage de tous les jours, restreignez l'utilisation des préparations alcooliques sur votre peau. Préférezleur les émulsions [8] parfumées. Ces produits sont prévus spécifiquement pour hydrater votre épiderme. Vous ferez d'une pierre deux coups : vous prendrez soin de votre peau tout en la parfumant. Les émulsions ont la propriété de mieux garder les odeurs que l'alcool. L'usage des préparations alcooliques sur la peau n'est pas à proscrire mais à limiter. L'eau de parfum et l'extrait seront toujours de mise pour souligner les moments intimes. Il se peut aussi que vous désiriez une évaporation rapide de votre parfum. Dans ce cas, n'ayez aucune crainte à en appliquer sur votre peau.

3- Parfumez l'eau de votre bain.

Longtemps le rôle dévolu aux parfums fut de masquer les mauvaises odeurs. Les habitudes d'hygiène et de propreté allaient de pair avec l'abandon des parfums. Voilà que par un tour de passe-passe, l'hygiène personnelle est invoquée pour promouvoir le parfum.

Le rituel du bain

La promotion de l'application du parfum par couches lors du bain est très poussée par l'industrie des cosmétiques et des parfums. Si ce concept est adopté par la clientèle, les ventes des produits d'appoint à la parfumerie alcoolique vont monter en flèche. Le rituel du bain peut devenir une innovation judicieuse dans l'art de se parfumer.

Nous vivons à une époque où se laver n'est plus seulement une question d'hygiène mais aussi un plaisir, une détente. On se parfume le corps en se lavant. Le rituel du bain proposé par l'industrie fait intervenir un maximum de produits.

---

8. L'émulsion est le résultat du mariage chimique d'une phase aqueuse et d'une phase grasse. Les lotions, les crèmes sont des émulsions.

A) Le bain

Vous vous prélassez paresseusement dans une eau chaude rendue mousseuse par l'ajout d'un lait ou d'un gel de bain. Vous vous détendez et profitez de ce moment de calme pour oublier les tracas quotidiens. Celles qui ont la peau sèche préféreront employer l'huile de bain [9].

B) La douche

Si le bain est fait pour se prélasser, pour laisser l'huile ou le lait de bain caresser la peau, c'est à la douche que l'on fait appel pour parachever le travail et libérer les pores dilatés de leurs dernières impuretés. À ce stade, le savon [10] ou le shampooing pour le corps interviennent.

Une autre version veut que le rituel du bain se termine par la douche en un simple jet d'eau fraîche. Dans ce cas, le savon est utilisé à la fin du bain. Gardez à l'esprit que l'effet d'un bain parfumé est très restreint. Il prépare plus votre corps au parfum qu'il ne le parfume.

C) L'après-bain

Après vous être séchée, vous appliquez sur votre peau une lotion ou une crème hydratante qui assouplira la peau et la

---

9. L'huile de bain a une bonne teneur en huiles essentielles composées. Elle peut être employée sur le corps comme substitut des préparations alcooliques. L'huile n'assèche pas la peau et retient mieux les odeurs que l'alcool. L'huile fut longtemps un support très utilisé pour les parfums. À sa sortie, Youth Dew, d'Estée Lauder, n'existait que sous forme d'huile de bain.

10. Le savon ne doit pas être utilisé avec l'huile de bain ou le lait de bain. Il émulsionne les huiles et il tue les bulles par son action sur la tension de surface de l'eau.

rendra plus douce. La poudre parfumée suit. Appliquée sur le pubis [11], elle possède des vertus désodorisantes. Elle peut aussi velouter votre peau aux talons, aux coudes et aux genoux.

Pour finir, vous pouvez ajouter une touche de parfum alcoolique sur votre linge et vos cheveux. À la rigueur, quelques touches sur la peau.

Le rituel du bain vous a procuré une peau délicatement parfumée dans le moindre de ses pores. L'art de se parfumer atteint avec le rituel du bain son point ultime. C'est le parfum global. Mais attention ! Il faut que tout ce processus s'effectue à l'aide de produits contenant la même note parfumée ! Si votre parfum est Opium, tout, de l'huile de bain à l'extrait, doit être Opium. Vous imaginez sans peine le fatras d'odeurs qui résulterait de l'utilisation d'une huile de bain Chantilly, d'un savon Azzaro 9, d'une crème hydratante Paris et d'un talc parfumé Chanel N° 5. Ce serait une cacophonie d'odeurs se comparant à un orchestre où chacun en fait à sa tête.

Ce concept obligera les compagnies à diversifier davantage la gamme des produits offerts pour une même note parfumée. On devra ajouter aux nombreux produits cités le shampooing pour les cheveux, le traitement après shampooing, la laque à cheveux, le désodorisant, etc. À la limite, le concept risque d'être difficilement exprimé dans son intégralité. Le rituel du bain est destiné à devenir un modèle auquel la clientèle et l'industrie tendront sans pouvoir l'atteindre. Dans la pratique, la cliente privilégiera trois ou quatres produits tels l'huile de bain, le savon et la lotion hydratante. Le concept mérite cependant d'être essayé. Il permettra à l'utilisatrice de se familiariser avec la parfumerie non-alcoolique. C'est la parfumerie de demain.

---

11. Les poudres parfumées sont composées en grande partie de silicate de magnésium. Des études tendent à démontrer que ce produit aurait des effets cancérigènes. Certains cancers des organes génitaux lui auraient été imputés. On comprendra pourquoi les ventes de poudre ont chuté au cours des dernières années.

4-Méfiez-vous parfois de votre nez

L'accoutumance olfactive consiste à ne plus percevoir le parfum que vous portez. N'allez cependant pas croire que vos proches ne le perçoivent pas. Les femmes qui ignorent le fait ont tendance à trop se parfumer.

Si votre nez s'est habitué à votre parfum, de grâce n'optez pas pour une surenchère d'odeurs. N'allez pas croire non plus que le fait de ne pas sentir votre propre parfum signifie que ce parfum vous va bien.

Si votre nez ne répond plus, fiez-vous à celui d'autrui

À défaut de vous en remettre à votre nez, essayez de connaître l'opinion d'un proche. Demandez à une amie ou à un parent. Si cette personne perçoit votre parfum, alors tout va bien. En retour, elle vous demandera probablement d'apprécier le sien. Vous aurez suscité un dialogue sur les parfums qui permettra de mieux vous connaître et aussi de mieux nuancer votre parfum.

Si un doute subsiste, rappelez-vous cette règle d'or : « Il vaut toujours mieux se parfumer un peu moins qu'un peu trop. »

5- Ne parfumez pas votre peau si vous vous exposez au soleil.

Certaines huiles essentielles démontrent des propriétés phototoxiques. La plus reconnue est l'essence de bergamote. Soumis aux rayons ultra-violets du soleil, les parfums contenant ces substances peuvent causer sur la peau des pigmentations inesthétiques durables. Vous vous retrouverez avec une « coulée de parfum » si le parfum a été appliqué au flacon, ou avec une « dermatose en breloques » s'il a été vaporisé. La composition des parfums est secrète, alors ne prenez pas de risques ! Au soleil, ne vous parfumez pas !

6- Si vous changez de parfum, changez aussi de vêtements.

Au cours d'une même journée, vous pouvez avoir l'occasion de changer de parfum. Dans ce cas, il faut éliminer le fond du premier parfum. Celui-ci pourrait ne pas s'harmoniser avec le second. L'idéal est de prendre une douche, de bien vous laver les cheveux et de changer vos vêtements. Ainsi, le nouveau parfum pourra prendre son essor sans subir les relents de l'ancien.

Il peut advenir qu'un parfum de matin très léger ne nécessite pas un changement de toilette. Soyez cependant très prudente. Il est possible de marier certains parfums, mais c'est une entreprise délicate qui nécessite beaucoup d'expérience, une connaissance poussée des parfums et une touche artistique très sûre.

7- Au repas, utilisez un parfum discret.

Lors des repas, parfumez-vous discrètement. Un des plaisirs de la table est de humer l'arôme des mets et de les savourer. Il ne faut pas que l'escalope de veau à l'estragon développe un goût de « Poison » ou de « Giorgio ». Aussi, si vous retouchez votre parfum, faites-le à la fin du repas et non avant. Les parfums de tradition française sont plus discrets que les parfums américains.

8- Laissez aller votre imagination

En connaissant mieux les parfums, vous pourrez les utiliser et les doser selon votre caractère, votre humeur. Vous pourrez donner libre cours à votre imagination. N'hésitez pas à essayer, à innover. L'art de se parfumer, comme tous les arts, nécessite une dose de savoir, mais aussi de l'imagination et de l'innovation. Soyez ouvertes aux nouveautés. Ne portez pas de jugement *a priori*. Des parfums bon marché peuvent vous étonner. Ne craignez pas de commettre parfois des erreurs, c'est le plus sûr moyen d'apprendre. Devenez une esthète des parfums, apprenez à les apprécier, à les considérer comme des œuvres d'art.

Les parfums selon les occasions

Les parfums ont leur personnalité. Certains se prêtent mieux que d'autres à des occasions spécifiques. Voici un guide qui associe les notes parfumées au quotidien, aux saisons, aux tissus et aux humeurs.

Le quotidien

Au travail : notes chyprées

Au travail, le parfum doit prendre une note professionnelle et ne doit pas distraire l'entourage. Les notes vertes et chyprées s'accordent particulièrement avec ce contexte.

À la maison : notes fleuries

Rien de trop marqué. Juste le nécessaire pour créer une atmosphère agréable et plaisante en accord avec son chez-soi.

Aux loisirs : notes fleuries vertes, chyprées vertes, d'agrumes

Quelque chose de léger mais de vivant. Un accent de nature est bienvenu. Les eaux fraîches sont tout indiquées.

En soirée : notes ambrées

Un fond un peu plus lourd, plus capiteux, appelant l'intimité et favorisant les tête-à-tête.

La nuit : notes fleuries aldéhydées, ambrées

Depuis que Marylin Monroe a révélé au monde qu'elle se vêtait de quelques gouttes de Chanel N° 5 avant d'aller au lit, les aldéhydés ont une place de choix. Les notes ambrées y siègent aussi sans complexe.

Les saisons

Printemps : notes fleuries vertes, bouquet floral

Les parfums à consonances printanières (muguet, jacinthe) douces et légères, rappelant l'éveil de la nature, sont tout indiqués.

Été : notes d'agrumes, fleuries boisées fruitées

Saison délicate où les grandes chaleurs se marient souvent mal avec le parfum. Les concentrations les plus légères et rafraîchissantes sont de rigueur : eau fraîche, eau de Cologne.

Automne : notes chyprées

Parfums aux inflexions boisées, au fond plus présent.

Hiver : notes ambrées

Les odeurs plus lourdes, plus capiteuses, s'accommodent bien du temps froid.

Les tissus

Le coton : notes fleuries vertes, d'agrumes

Des parfums légers, impertinents, libres.

Le denim (jean) : notes d'agrumes

Parfums aux têtes rieuses, libres et au fond discret.

La soie : bouquet floral, notes fleuries aldéhydées

Parfums romantiques qui se développent tout en douceur.

L'humeur

Séductrice : notes ambrées

Parfums au fond lourd qui offre un sillage persistant.

Sportive : notes fleuries vertes et fruitées, chyprées vertes

Parfums jeunes aux têtes naturelles.

Romantique : notes flleuries

Parfums aux accents printaniers qui se développent doucement.

Anti-conformiste : notes chyprées

Des parfums peu courants dont la note étonne.

Enjouée : notes fleuries vertes, d'agrumes

Des parfums gais, vivants, pétillants.

Raffinée : notes florales, ambrées

Accord classique arrondi par un fond ni trop discret ni trop dérangeant.

Ce ne sont là que des indications sommaires. Il n'y a pas de formule magique. Vous serez d'autant plus habile à choisir vos parfums que vous aurez appris à connaître ce domaine fascinant. Se parfumer est un art qui nécessite une certaine connaissance des notes parfumées. Éduquez votre nez aux parfums, puis laissez parler vos goûts, vos sentiments. Connaître les parfums ouvre la porte à de nombreux plaisirs. Apprendre à se parfumer, c'est un peu apprendre à se connaître.

Et les hommes ?

La parfumerie masculine accapare 30 % des ventes mondiales. En Italie et en Allemagne, la part du marché des parfums masculins est de 44 % et 45 %. L'homme se sert surtout du parfum pour rafraîchir sa peau après le rasage. La lotion après-rasage vient aseptiser les coupures et autres irritations cutanées que le rasage produit. En ce sens, pour bien des hommes, l'application de la lotion après-rasage est thérapeutique. L'apport du parfum est accessoire. L'industrie des parfums cherche à faire exploser ce concept. Elle est consciente que l'homme représente un marché sous-exploité par rapport à celui de la femme. Les magasins leur offrent des lignes complètes où l'on retrouve eau de toilette, eau de Cologne, lotion et baume après-rasage, lotion hydratante, gel moussant, shampooing pour le corps et les cheveux, poudre parfumée, désodorisant, etc. Devant cette offre qui dépasse la demande, les hommes s'éveillent peu à peu aux parfums. Ils adaptent à leurs besoins l'art de se parfumer féminin. Outre la lotion après-rasage, ils ajoutent une touche d'eau de Cologne ou d'eau de toilette sur leurs cheveux, dans leur barbe, sur leur nuque, sur la toison de leur torse.

Il semble de plus en plus évident que les femmes inviteront les hommes à découvrir les parfums. La majorité des produits masculins sont achetés par des femmes pour les hommes.

En définitive

Sachez apprécier les parfums ! Prenez votre temps ! Savourez-en toutes les étapes ! Discutez-en avec des amis ! Il y a une réelle joie à découvrir un parfum et l'industrie en lance continuellement de nouveaux. Laissez parler votre âme et vos émotions. Laissez-vous aller à aimer les parfums.

Il est de forts parfums pour qui toute matière
Est poreuse. On dirait qu'ils pénètrent le verre
En ouvrant un coffret venu de l'Orient
Dont la serrure grince et rechigne en criant.
Ou dans une maison déserte quelque armoire
Pleine de l'âcre odeur des temps, poudreuse et noire
Parfois on trouve un vieux flacon qui se souvient
D'où jaillit toute vive une âme qui revient
Quand les deux yeux fermés en un soir chaud d'automne,
Je respire l'odeur de ton sein chaleureux

Je vois se dérouler des rivages heureux
Qui éblouissent les feux d'un soleil monotone ;
Une femme qui ne se parfume pas n'a pas d'avenir

Paul Valéry

Annexes

Matières naturelles

Cette liste n'est pas exhaustive. Elle comporte les matières premières auxquelles on se réfère le plus souvent lorsqu'on décrit un parfum.

Les fleurs

La rose

Originaire de Perse, la rose est la fleur préférée des Arabes, des Turcs. Depuis peu, elle est devenue la fleur emblématique des États-Unis. On connaît aussi la passion des Britanniques pour cette fleur.

Rose de Mai

Cultivée en France, en Algérie, au Maroc et en Égypte, la Rose de mai (rosa centifolia) produit une huile qui est très importante dans la parfumerie fine. Il faut 700 kilos de roses pour produire un kilo d'huile. La méthode employée est l'extraction. Il serait donc plus juste de parler de concrète et d'absolue.

Rosa damascena

Elle est cultivée en Bulgarie, en France, en Italie, au Maroc et en Turquie. L'huile est produite par une distillation à la vapeur. Il faut 3500 kilos de roses pour produire un kilo d'huile.

Le jasmin

Cette fleur délicate, native des Indes, aurait été introduite en Europe vers le XVIe siècle. Elle est cultivée en France, en Espagne, en Algérie, en Italie, au Maroc, en Égypte et en Inde. La fleur doit être cueillie tôt le matin, car elle perd son parfum sous l'action du soleil. Dans un kilo de fleurs, on en dénombre 6000. Il faudra environ 700 kilos de fleurs (4 200 000 fleurs) pour produire un kilo de concrète. De ce précieux kilo, on tirera 500 grammes d'absolue.

L'absolue de jasmin est la plus populaire des absolues florales. Elle est un des ingrédients les plus utilisés dans la parfumerie fine.

La fleur d'oranger

Natif du nord de l'Inde, l'oranger fut introduit dans le bassin méditerranéen vers le IXe siècle. Les fleurs d'oranger sont associées à la fécondité. On lançait des pétales de fleurs d'oranger aux mariés afin que le couple soit fécond. Les confettis utilisés lors des mariages d'aujourd'hui viennent de cette coutume.

L'oranger amer est cultivé au Maroc, en Algérie, en Égypte ainsi que dans le sud de la France. Il faut 1000 kilos de fleurs pour produire 1 kilo d'huile.

Vers 1670, Anna Maria de La Trémoille, princesse de Néroli, parfumait ses gants avec de l'huile de fleur d'oranger. C'est pourquoi on nomma cette huile « huile de Neroli ». Elle est surtout employée dans les eaux de Cologne ou comme constituante de la note de tête.

La tubéreuse

Native de l'Inde, cette fleur fut introduite en Europe au XVIIe siècle. Pendant de nombreuses années, cette fleur fut considérée comme le symbole de la volupté. On a déjà conseillé aux jeunes filles de ne pas sentir le parfum de cette fleur car elles en seraient intoxiquées et seraient amenées à avoir une conduite plutôt libertine.

Cette fleur est cultivée en France, en Inde, au Maroc, en Égypte et aux Îles Comores. Il faut 1000 kilos de fleurs pour produire un kilo de concrète, dont on tirera 300 grammes d'absolue. Le plant a une hauteur de trois à quatres pieds et requiert beaucoup d'humidité. Les fleurs poussent par paires.

Le parfum de tubéreuse est très populaire aux É.U. On le retrouve beaucoup dans les parfums floraux modernes.

L'Ylang-Ylang

La fleur provient d'un arbre qui atteint soixante pieds de haut. Les meilleures huiles proviennent de fleurs cueillies durant les nuits des mois de mai et juin. Les fleurs doivent être bien développées (couleur jaune). Les jeunes fleurs (couleur verte) donnent une huile de qualité inférieure. Cette fleur native des Philippines et de l'Indonésie est cultivée intensément aux Îles Comores. Le rendement obtenu par distillation est de 1,5 à 2,5 %, soit 2,5 kilos d'huile pour 100 kilos de fleurs.

L'huile est utilisée pour donner de l'élégance et de la chaleur à plusieurs parfums.

Fleurs et tiges

La lavande

La Lavandula officinalis peut être distillée ou traitée par des solvants volatils. L'huile de lavande est grandement utilisée dans la parfumerie masculine. Les eaux de lavande sont très populaires en Grande-Bretagne où elles occupent une créneau semblable à celui de l'eau de Cologne en Europe.

Le rendement de la distillation est de 1,4 %. On recueille 1 % de concrète et 0,8 % d'absolue.

Les feuilles

Le patchouli

Le Pogostemon patchouli est un petit arbuste originaire de Chine. Il pousse en Chine, aux Philippines, à Madagascar et en Indonésie. Les feuilles séchées sont traitées par distillation. Le rendement peut atteindre 3 %.

Le Patchouli connut une vogue lorsque les Britanniques l'introduisirent en Europe en provenance de Chine vers 1850. Il fut le parfum préféré des hippies. L'huile de patchouli est un matériel très important, qui est largement utilisé dans plusieurs types de parfums.

La violette

On ne traite pas la fleur mais les feuilles. On obtient approximativement 0,1 % de concrète à partir des feuilles. La concrète donne 30 % d'absolue.

Les racines

Le vétyver

Le vétiver (ou vétyver) est cultivé en Inde, au Sri Lanka, en Indonésie, à la Réunion, en Haïti, au Brésil, en Chine et en

Angola. On obtient l'huile par distillation des racines séchées, tronçonnées et moulues. On peut aussi procéder par extraction. Le rendement de la distillation varie entre 2 et 3 %. Le vétiver est surtout employé dans les parfums masculins. Il peut être aussi un important constituant des parfums chyprés.

L'iris

L'huile d'iris provient de la distillation des rhizomes de Iris pallida. L'huile provient d'Italie (Florence). Le rendement est très bas : 0,1 %. Ce produit est l'un des plus onéreux. Le prix d'un kilo est d'environ 25 000 $. Heureusement, il existe des huiles synthétiques d'iris. L'huile d'iris apporte un degré élevé d'originalité au parfum.

Les herbes

Le lemongrass

Il est peu utilisé depuis que l'on peut obtenir les éléments chimiques (citral) qu'on lui soutirait par d'autres voies. L'huile est utilisée dans les savons bon marché à odeur de citron.

Le bois

Le bois de santal

L'huile est obtenue par distillation, d'un arbre (Santalum album) que l'on trouve en Indonésie, dans le sud-est asiatique et plus particulièrement dans la province indienne de Mysore.

Les arbres donnant la meilleure huile ont au moins trente ans. Le bois est réduit en copeaux, puis moulu. Le rendement est assez élevé, de 4 à 6,5 %. L'huile de bois de santal est l'un des plus vieux et plus précieux matériaux de la parfumerie. Elle est utilisée dans les notes chyprées, orientales et fougères.

Les graines

L'ambrette

Le Hibiscus abelmoschus est cultivé en Amérique latine, en Inde et en Indonésie.Les graines sont séchées et réduites en poudre avant d'être distillées. L'huile essentielle obtenue est très riche en acides gras. Ces acides sont retirés par extraction. Le produit final est une absolue de graines d'Ambrette. Le rendement est de 0,3 à 0,5 % environ. L'odeur est florale, un peu musquée, légèrement douce avec une note de cognac.

La vanille

La vanille provient des graines contenues dans les pistils d'une orchidée (Vanilla planifolia). Cette plante est indigène d'Amérique centrale. Elle est cultivée en Indonésie, à Madagascar, en Inde et à l'île Maurice. On procède par extraction.

Les gommes, résines et baumes

Les gommes sont des gouttelettes que certains arbres et arbustes sécrètent. On peut forcer l'apparition de ces gommes par une incision. Parfois les gouttelettes maintiennent leur aspect gommeux, mais d'autres fois elles deviennent dures et forment une résine. Lorsque la sécrétion garde un état huileux, on parle de baume. Au Québec existe la gomme du sapin baumier. Gomme, résine et baume furent parmi les premiers produits odoriférants utilisés par l'homme et la femme.

L'opoponax

C'est la myrrhe offerte à Jésus par les rois Mages. L'opoponax est une gomme résineuse provenant d'un arbre, Commiphora érythraea var. glabrescens, qui pousse en Éthiopie et en Somalie. La gomme prend l'apparence de petits agrégats jaune-brun. Elle peut être traitée soit par distillation, soit par extraction. L'opoponax est utilisé comme note de fond. C'est un excellent fixatif.

Le galbanum

La gomme est obtenue de la sève d'une plante (Ferula galbaniflua) qui pousse en Iran. La sève sèche au contact de l'air. Cette résine fut longtemps utilisée comme encens. Elle est traitée soit par distillation, soit par extraction. Le galbanum est très employé dans les notes verdurées. Vent Vert, de Balmain, en contient 8 %, ce qui est énorme.

L'oliban (Frankincense)

L'oliban est l'encens remis à l'Enfant Jésus. C'est une résine naturelle produite par un arbre, Boswellia carterii, qui pousse en Somalie, en Éthiopie et en Arabie Saoudite. On le traite soit par distillation, soit par extraction. L'oliban sert dans les notes de fond et est un excellent fixatif.

Les mousses

La mousse en chêne

La mousse de chêne est un lichen, Evernia prunastri, qui pousse sur le tronc des chênes. Elle est cueillie surtout en Yougoslavie. La France et le Maroc sont aussi des producteurs. La mousse de chêne est traitée par extraction. Le rendement est de 2 à 4 % environ. Elle est utilisée surtout comme fixatif et est une constituante de la plupart des parfums chyprés.

Les fruits

Les hespéridées

On désigne ainsi la famille végétale qui réunit les oranges, les citrons, les pamplemousses, les mandarines, les clémentines, etc. Dans la mythologie, les Hespéridées étaient un jardin protégé par trois nymphes. Ce jardin produisait des pommes d'or. Un des douze travaux d'Hercule fut d'obtenir quelques-unes de ces pommes, si chères à Zeus et à Hera. Ces pommes d'or auraient-elles été des citrons ? Des botanistes férus de mythologie n'ont pas hésité à répondre oui !

Les hespéridées sont traitées par expression.

Les animaux

L'ambre

L'ambre n'est ni du sperme ni de la salive de baleine. C'est une excrétion pathologique du système digestif du cachalot (Physeter macrocephalus). L'ambre flotté se retrouve sur la mer ou sur les plages. On l'appelle ainsi parce qu'il flotte sur l'eau. L'eau de la mer et le soleil se sont chargés de le purifier. Il est très apprécié. L'ambre chassé est celui que l'on retire, sous forme de rognons malodorants ressemblant à des galets, de l'intestin d'environ 4 % des cachalots mâles capturés. Il est beaucoup moins recherché. On doit le laisser sécher pendant des années afin qu'il perde son odeur fécale et que la note ambrée se développe. Aujourd'hui, les cachalots se font de plus en plus rares et l'ambre est très difficile à obtenir. On utilise des substituts. L'ambre s'avère un excellent fixatif. Il est utilisé dans les notes de fond.

La civette

Les civettes (espèce de chats sauvages que l'on trouve en Éthiopie) sont des mammifères de la famille des viverridés. Le produit odorant est sécrété par un appareil odorifère existant chez les deux sexes et se situant près de l'anus. Le produit recueilli chez le mâle est plus estimé. L'absolue de civette est utilisée dans la majorité des parfums de haute qualité. C'est un excellent fixatif.

Le castoreum

Le castoreum est une sécrétion du castor : Castor canadensis. Les glandes à parfum sont placées entre l'anus et l'appareil génital chez les animaux des deux sexes. Le castor se sert de ce produit huileux pour lustrer sa fourrure. Excellent fixatif, on le retrouve surtout dans les parfums de notes chyprées, orientales et fougères. Son caractère très marqué est cependant difficile à accommoder. Il est peu utilisé.

Le musc

Le musc provient du chevrotin porte-musc : Moschus moschiferus. C'est un petit ruminant sauvage dépourvu de bois. Il vit dans les montagnes d'Asie centrale (Cachemire, Népal). Le mâle porte entre le nombril et la verge une poche interne de 6 à 7 cm de longueur et de 2 à 3 cm d'épaisseur. Dès le début du XXe siècle (1934), les efforts pour synthétiser la muscone ont abouti. Aujourd'hui, on n'emploie presque plus de musc naturel, si ce n'est dans les parfums de fantaisie très dispendieux.

Le musc est un excellent fixatif et apparaît dans la note de fond de nombreux parfums.

Matières synthétiques

Les matières synthétiques se comptent par milliers et on en découvre de nouvelles chaque jour. Vous en trouverez ici quelques-unes qui ont le plus marqué la parfumerie.

Les ionones

Découvertes par hasard, l'ionone et ses homologues (méthyl-ionone) sont utilisées dans presque tous les types de parfums. Il est difficile de trouver une formule où les ionones ne sont pas présentes. Bien qu'elles aient une odeur de violette, elles ne sont pas utilisées uniquement pour celle-ci. En général, l'incorporation d'ionones dans une formule confère au parfum une suavité qui ajoute de la profondeur et de la chaleur à la création.

Depuis sa découverte, ce corps que l'on croyait artificiel a été retrouvé dans la nature. Entre autres, les fraises et les framboises en sont pourvues. On produit les ionones à partir de la vitamine A.

Les ionones démontrent une bonne stabilité. Cependant, elles peuvent provoquer un jaunissement lorsqu'elles sont utilisées à fortes concentrations.

Les aldéhydes

Les aldéhydes aliphatiques saturés

Au début du XXe siècle, un certain nombre d'aldéhydes gras ont été découverts dans diverses huiles essentielles. Ce n'est que vingt ans plus tard que les parfumeurs réalisèrent qu'un soupçon de ces matières très volatiles relevait merveilleusement leurs compositions.

Aujourd'hui, il est presque impossible de trouver un parfum qui n'a pas une trace d'aldéhyde gras. Les parfums fleuris aldéhydés en possèdent jusqu'à 1 %. Les aldéhydes sont les seuls produits synthétiques à avoir donné leur nom à une classe de parfums (Chanel No 5, Arpège, Madame Rochas, Rive Gauche, etc.).

aldéhyde octyl : Sa dilution lui confère une note d'agrume. Il est utilisé dans les parfums de style ancien ainsi que dans les eaux de Cologne classiques.

aldéhyde nonyl : Son odeur plaisante, un peu grasse et ayant un caractère rosé, le rend fort utile dans les composition florales.

aldéhyde undécylénique et aldéhyde undécylique : Ces deux aldéhyques possèdent une note verte qui se marie bien avec les compositions aux accords de mousse de chêne et de bois.

aldéhyde laurique : Son haut poids moléculaire lui permet une évaporation lente fort recherchée. Cet aldéhyde dégage une odeur grasse très prononcée.

Hydroxycitronnellal

Ce produit de synthèse a marqué la parfumerie. Son utilisation date du début du siècle et a longtemps été gardée secrète.

L'hydroxycitronnellal, que l'on ne retrouve pas dans la nature, a une odeur fleurie qui rappelle le muguet. Un parfum contenant un bon pourcentage d'hydroxycitronnellal se révélera plus plein, plus riche et plus naturel qu'un parfum qui en est dépourvu.

Une anecdote circule dans l'industrie à propos de l'introduction de cet ingrédient aux États-Unis. Une grande compagnie américaine de savon du début du siècle importait de France une huile parfumée qui possédait une odeur impossible à imiter. Or, après le début de la Première Guerre mondiale, cette huile parfumée perdit sa touche magique. On en conclut que cette huile contenait un ingrédient produit en Allemagne et qui n'était plus accessible aux Français. C'est ainsi qu'on finit par découvrir l'hydroxycitronnellal et qu'on entreprit sa fabrication aux É.U. Sans cette matière synthétique, la parfumerie ne serait pas ce qu'elle est.

Hédione (dihydrojasmonate de méthyle)

Son utilisation par Edmond Roudnitska dans Eau Sauvage, de Dior (1966), allait marquer la parfumerie comme l'hydroxycitronnellal l'avait fait cinquante ans plus tôt. L'évolution des vingt dernières années sur le plan de la formulation et des nouveaux accords obtenus est due en grande partie à l'hédione. Ce corps exhale une note fruitée de jasmin et est largement utilisé en parfumerie.

Les quinolines

Les dérivés de la quinoline sont employés en parfumerie pour donner une note verte spéciale aux compositions. Ils sont puissants et de très longue durée. La quinoline d'isobutyl est la plus employée. Elle produit une odeur terreuse, moussue, boisée et cuirée. C'est ce produit qui caractérise Cabochard, de Grès (1958).

La coumarine

La coumarine confère une note suave aux parfums. Son utilisation est répandue autant dans les parfums floraux que dans les non floraux. Elle y dégage une odeur de foin coupé. On l'utilise aussi comme odorant industriel afin de donner une odeur agréable aux produits ménagers faits de plastique et de caoutchouc. La coumarine a longtemps été un élément de la vanille artificielle. En 1954, on en interdit l'utilisation dans l'industrie alimentaire par suite de tests qui avaient démontré que la coumarine possédait des propriétés toxiques si elle était ingérée. Cette interdiction amena maintes protestations. On en parle encore. Dans la nature, on retrouve la coumarine dans la fève de tonka.

La vanilline

La vanilline est largement employée pour plusieurs parfums dans lesquels sa forte et plaisante odeur est grandement appréciée. La vanilline est aussi utilisée comme odorant industriel afin de masquer des odeurs désagréables : papiers, caoutchouc, plastique, tissu.

La vanilline ne peut être incorporée dans les savons et la plupart des cosmétiques car, même en petites quantités, elle cause une sérieuse décoloration.

Le galaxolide et le brassylate d'éthylène

Ces deux substances donnent une tonalité musquée au parfum. La plupart des parfums qui portent l'appellation « Musk » doivent leur caractère à l'un de ces produits ou aux deux à la fois.

Le brassylate d'éthylène a été découvert par des chimistes qui travaillaient chez Dupont de Nemours. Ce produit serait encore sur les tablettes si l'un des chimistes n'avait été frappé par son odeur musquée. Le brassylate d'éthylène doit sa carrière en parfumerie à la perspicacité d'un nez. Un simple rhume aurait pu reléguer cet ester aux oubliettes bondées des molécules inutiles.

Bibliographie

Livres

APPELL, Louis. *Cosmetics, Fragrances and flavors*, New Jersey, Novox inc., 1982, 440 p.

ARCTANDER, Steffen. *Perfume and flavor materials of natural origin*, Elizabeth, s. éd., 1960, 736 p.

BASSIRI, T. *Introduction à l'étude des parfums : matières premières aromatiques d'origine naturelle et de synthèse*, Paris, Masson, 1960, 278 p.

BILLOT, Marcel. *Perfumery technology : art, science, industry*, New York, Halsteed Press, 1975, 353 p.

BAKELEY, Patricia. *Everyone's guide to fragrance*, Toronto, Seneca College, 1985, 151 p.

COLAS, Félix. *Le livre du parfumeur*, Paris, Édition du Layet, 1980, 780 p.

COLOMBARI, Marie-José et Jean-Roger BOURREC. *Le livre de l'amateur de parfum*, Toulouse, Éditions Daniel Briand - Robert Laffont, 1986, 180 p.

CORBIN, A. *Le miasme et la jonquille*, Paris, Aubier, 1983, 334 p.

DORLAND, W.E. et J.A. ROGERS jr. *The fragrance and flavor industry*, Mendham, W.E. Dorland Co., 1977, 443 p.

DELBOURG-DELPHIS, Marylène. *Le sillage des élégantes : un siècle d'histoire des parfums*, Paris, J.C. Lattès, 1983, 242 p.

GABOURIT, J.-Y. *Parfums, prestige et haute couture*, Fribourg, Office du livre, 1985, 174 p.

GIRARD, S. *Le livre des parfums*, Paris, Éditions Messidor, 1986, 172 p.

ISRAEL, Lee. *Estée Lauder : beyond the magic*, New York, Delle Publishing co., 1987, 267 p.

KAUFMAN, W.I. *Le grand livre des parfums*, Paris, Éditions Minerva, 1974, 200 p.

LAUDER, Estée. *Estée*, New York, Ballantine books, 1986, 289 p.

LEMELIN, Mireille. *L'art de se parfumer*, Montréal, Presse libres ltée, 1984, 229 p.

LORENZ, Konrad. *L'agression : une histoire naturelle du mal*, Paris, Flammarion, 1969, 314 p.

MULLER, J. *The H&R book of perfume*, Londres, Haarmann & Reimer edition, 1984, 160 p.

MULLER, J. *The H&R book : fragrance guide feminine notes*, Londres, Haarmann & Reimer edition, 1984, 144 p.

MULLER, J. *The H&R book : fragrance guide masculine notes*, Londres, Haarmann & Reimer edition, 1985, 144 p.

HALL, Rüdiger, et al. *The H&R book : guide to fragrance ingredients*, Londres, Haarmann et Reimer édition, 1985, 144 p.

NAVES, Y.-R. *Technologie et chimie des parfums naturels*, Paris, Masson, 1974, 326 p.

ROUDNITSKA, Edmond. *Le parfum*, Paris, Presses universitaires de France, 1980, 127 p.

VALNET, J. *Aromathérapie : traitement des maladies par l'essence des plantes*, Paris, 10e ed., Maloine, 1984, 544 p.

WINTER, Ruth. *Le livre des odeurs*, Paris, Éditions du Seuil, 1979, 169 p.

Articles de revues

« Eaux de Cologne », *La Parfumerie moderne*, Paris, octobre 1947.

BASSET, Françoise. « Le parfum et son flacon : création simultanée », dans *Parfums, cosmétiques et arômes (P.C.A.)*, Paris, nº 47, octobre 82, p. 79-84.

BASSET, Françoise. « Le cartonnage, le flacon, l'étiquette et... les autres », *Parfums, cosmétiques et arômes*, Paris, nº 71, octobre 1986, p. 107-109.

BASSET, Françoise. « Le trésor de guerre de L'Oréal », *Parfums, cosmétiques et arômes*, Paris, nº 74, avril 1987, p. 15-17.

BASSET, Françoise. « Le grand chambardement », *Parfums, cosmétiques et arômes*, Paris, nº 75, juin 1987, p. 15.

BASSET, Françoise. « La maturité », *Parfums, cosmétiques et arômes*, Paris, nº 77, octobre 87, p. 15-17.

BASSET, Françoise. « Parfumerie cosmétique : reprise de la croissance », *Parfums, cosmétiques et arômes*, Paris, nº 79, février 1988, p.16.

BERTHIER, M. A. et M. Ch. E. GOUNOD. « Évolution du marché des matières premières en parfumerie », *Par-*

fums, cosmétiques et arômes, Paris, nº 25, janvier 1979, p. 27-40.

BESSIS, P. « Les noms des parfums », *Parfums, cosmétiques et arômes*, Paris, nº 20, mars 1978, p. 43-48.

BLAKELEY, Patricia. « Frafrance your invisible accessory », *Cosmetics beauty guide*, Toronto, vol. 1, nº 1, avril 1987, p. 78-90.

BRUD, W. S. « Words versus odours : how perfumers communicate », *Perfumers and Flavorist*, Weaton, vol. 11, août-septembre 1986, p. 27-44.

CORNON, R. « Parfumeur, jusqu'à quand pourras-tu encore utiliser des produits aromatiques ? », *Parfums, cosmétiques et arômes*, Paris, nº 50, février 1981, p. 50-52.

DESMEILLIERS, A. « La connaissance des odeurs au dix-huitième siècle », *Parfums, cosmétiques et arômes*, Paris, nº 35, octobre 1980, p. 29-32.

DUBOIS, P.A. « Hypothèses relatives à l'origine biologique de l'ambre », *Parfums, cosmétiques et arômes*, Paris, nº 19, janvier 1978, p. 35-45.

GIBBONS, Boyd. « The intimate sense of smell », *National Geographic*, Washington, vol. 170, nº 3, septembre 1986, p. 324-361.

GILBERT, A.N. et C.J. WYSOCKI. « The smell survey results », *National Géographic*, Washington, vol. 172, nº 4, octobre 1987, p. 514-525.

GUILLOT, M. « Comportements humains liés à l'olfaction », *Parfums, cosmétiques et arômes*, Paris, nº 48, décembre 1982, p. 43-47.

HADORN, J. et J. GARNERO. « Les grands chimistes de la parfumerie », *Parfums, cosmétiques et arômes*, Paris, nº 64, août 1985, p. 67-73.

LE GUERER, Annick et Georges VIGARELLO. « La propreté au temps de Louis XIV », *L'histoire*, Paris, nº 78, mai 1985, p. 6-13.

LE NEDIC, J. « Le pouvoir du conditionnement », *Parfums, cosmétiques et arômes*, Paris, nº 23, septembre 1978, p. 113 à 118.

MONJIN, J. « Une femme parfumeur : Germaine Cellier », *Parfums, cosmétiques et arômes*, Paris, nº 56, avril 1984, p. 69-70.

NALLET, Ph., et al. « Rôle et importance des odeurs dans le comportement de l'homme », *Parfums, cosmétiques et arômes*, Paris, nº 65, octobre 1985, p. 51-60.

PETITDIDIER, J.P. « Voyage au pays de la civette », *Parfums, cosmétiques et arômes*, nº 63, juin 1985, p.65-68.

ROUDNITSKA, Edmond. « Curriculum vitae », *Parfums, cosmétiques et arômes*, nº 78, décembre 1987, p. 65 à 68.

SEU SALERNO, M. et J. BLAKEWAY. « La mousse de chêne : une base de la parfumerie », *Pour la science*, Paris, nº 115, mai 1987, p. 82-92.

VIGNAULT, J.J. « Un grand parfumeur : François Coty », *Parfums, cosmétiques et arômes*, Paris, nº 54, décembre 1983, p. 43-47.

WOLKOMIR, R. et J. « À vue de nez », *Biosphère*, Ottawa, vol. 4, nº 4, juillet-août 1988, p. 44-51.

WORNER, Peter. « Une histoire du développement des parfums internationaux », *Parfums, cosmétiques et arômes*, Paris, nº 8, mars 1976, p. 49 à 59.

Achevé d'imprimer à Montmagny
par les travailleurs des ateliers Marquis Ltée
en mars 1989